TWIN FLAMES

Für meine Tochter Gwendolyn Ladina

JACQUELINE MEIER

TWIN FLAMES

Roman

Bibliografische Informationen der Deutschen Nationalbibliothek:
Die Deutsche Nationalbibliothek verzeichnet diese Publikation in der
Deutschen Nationalbibliografie, detaillierte bibliografische Daten sind im
Internet über dnb.dnb.de abrufbar.

TWENTYSIX
Eine Marke der Books on Demand GmbH

Covergrafik: denamorado / keng_1980 /
macrovector / myimagine2018 / Freepik
Satz, Umschlaggestaltung, Herstellung und Verlag:
BoD – Books on Demand, Norderstedt

ISBN: 978-3-7407-8163-7

PROLOG

M ach's gut auf deiner Reise«, sagte ich und umarmte ihn.
»Es ist unsere Reise«, flüsterte er und berührte mich noch einmal mit seiner ganzen Zärtlichkeit.

Plötzlich wurde ich von einer gewaltigen Kraft umfasst, die mich von ihm wegzog. »*Ich liebe dich*«, flüsterte ich und hoffte, er konnte es noch hören.

SEIN BESUCH

Etwas war anders, als Mia an diesem Tag erwachte. Es war nicht das blaugrüne Licht des Morgens, der kalte Kaffee, der immer noch unberührt am Fuße ihres Bettes stand, oder der Regen, der unermüdlich gegen die Scheiben prasselte und wie Tränen an den Fenstern herunterrann.

Es schien nichts von alledem zu sein. Sie ließ ihren Kopf mit dem langen blonden Haar aufs Kissen zurücksinken und stieß einen Seufzer aus. Wenn sie so liegen bleiben könnte, ohne jeden Gedanken. Wie würde es sich wohl anfühlen? Befreit? Kaum strömte dieses Gefühl, das ihr in so wunderbarer Weise richtig erschien, durch ihren Körper, war schon wieder dieser brennende Stich in ihrer linken Brust da. Ein bekannter Schmerz der Verlassenheit, der sich pulsierend und unaufhörlich in ihrer Seele bekunden wollte. Ohne Anfang und scheinbar ohne Ende.

Wie lange war es wohl her? Einen Tag, eine Woche oder ein Jahr? Es schien ihr, als würde ihr das Erlebte entgleiten. Fast schon war es so, als würden die Gedanken daran, je mehr sie die Erinnerung suchte, sich noch schneller im Strudel ihrer Emotionen verlieren.

Sie richtete sich noch leicht schlaftrunken auf, strich sich durch das zerzauste Haar und setzte sich gedankenverloren in ihren Schaukelstuhl neben dem Bett. Langsam wippte sie mit dem Stuhl hin und her, im Takt einer Melodie, die sie schon so lange nicht mehr gehört hatte.

Behutsam rieb sie sich mit den Fingerspitzen die Stirn, ihr Blick wanderte durch ihr Loft. Ihr ganzer Stolz. Hier konnte sie sich verkriechen, fast schon wie damals in ihren Jugendtagen im Mohnblumenfeld. Hier hatte sie sich ihre eigene Welt erschaffen, fernab von der Klinik, fernab von ihren Patienten, fernab von allen Krankheiten und vor allen Dingen, fernab der Realität.

Etwas Weiches, Wuscheliges riss Mia aus ihrem Tagtraum. Pluto, ihr Labradormischlingshund, legte seinen Kopf auf ihr Knie und bedachte sie mit einem vorwurfsvollen Blick, fast so, als wollte er ihr sagen: »Komm, komm endlich zurück, ich bin auch noch hier. Ich lebe und ich will endlich Gassi gehen!«

Sie musste sich ein Lachen verkneifen.

»Ich weiß, dass du hier bist. Ich komme ja schon.«

Langsam zog sie sich ihren lilafarbenen Trenchcoat über und strich sich ihre Haare zurecht. Der Blick in den Spiegel würde sich für heute erübrigen. Doch bevor sie die Türe öffnete, war er wieder da.

Nicht er, nicht seine Stimme, sondern einfach die Erinnerung an ihn. Was würde er ihr wohl in diesem Moment sagen?

Er würde sie wohl fragen: »*Was ist mit deinen Tränen?*«

Sie zog den rechten Mundwinkel kaum merklich zu einem Lächeln, während ihr Handrücken gleichzeitig noch schnell über das Gesicht strich. Schließlich sollte niemand ihre Tränen sehen.

Lilafarben und mit verquollenen Augen trat sie mit einem ungeduldigen Pluto an der Leine in einen verregneten Sonntagmorgen hinaus. Sie spazierte durch die nassen Straßen und dachte daran, dass heute ein wichtiger Tag sei. Bald würde besonderer Besuch erscheinen.

Die Zeit davor

Mia, Miiiaaa! Zieh dich schnell an, ich muss dir draußen was zeigen. Das musst du dir ansehen. Komm, bevor Sharon erwacht und uns den ganzen Spaß versaut.«

Genervt zog sich Mia das Kissen über den Kopf und drückte es schützend auf ihre Ohren. »Mia, nun komm schon!« Ihr Bett schien sich selbständig zu machen und wirbelte sie auf und ab. Genervt wagte sie einen Blick unter dem Kopfkissen hervor und entdeckte auch sogleich den Räuber ihres Schlafes. Ihr Bruder Gabriel hüpfte mit seinen goldenen Locken, die ihm fast über seine engelhaften blauen Augen ragten, auf ihrem Bett auf und ab.

»Meine Güte, wie spät ist es überhaupt?« Mia drehte sich zur Seite, um einen Blick auf den Wecker werfen zu können, als sie eine Karte mit zwei roten Luftballons auf ihrem Nachttisch bemerkte. Sie setzte sich noch leicht benommen auf und griff nach der Karte.

»Die hast du von Papa erhalten«, erzählte Gabriel in freudigem Ton und setzte sich neben seine Schwester. »Mama hat sie dir heute früh hingelegt, damit du sie gleich siehst, wenn du erwachst. Schön nicht, die Luftballons?«

Mia öffnete die Karte.

Alles Gute zu deinem 16. Geburtstag.
Ich bin bald wieder bei euch.
In Liebe
Papa

»Ist wohl einen Tag zu spät«, murmelte Mia leise vor sich hin und legte die Karte mit der Vorderseite nach unten zurück auf den Nachttisch.

»Aber die Luftballons sind schön«, meinte Gabriel, »und nun komm bitte endlich!«, quengelnd zog er an den Ärmeln von ihrem roten Pyjama.

»Was ist denn? Siehst du nicht, dass ich nicht in der Stimmung für deine Späße bin?«, schnauzte sie ihren acht Jahre jüngeren Bruder entnervt an.

»Ach bitte, nun komm schon. Das wirst du mir sowieso nicht glauben. Das musst du dir mit eigenen Augen ansehen!«, meinte Gabriel und hüpfte weiter in der Hoffnung, so seine Schwester schneller aus dem Bett zu kriegen.

»Na gut, du Dreikäsehoch, ich stehe auf und sehe mir das an. Aber ich warne dich, wenn es sich wieder um eine deiner unsinnigen Kindereien handelt, dreh ich dir den Kopf um.«

Noch schlaftrunken schälte sie sich mühsam aus ihrem Bett, schlüpfte in ihre Jeans und in den königsblauen Strickpullover, den sie von ihrer Mutter zum Geburtstag bekommen hatte. Die Haare band sie zu einem lockeren Pferdeschwanz hoch.

Dies war definitiv einer dieser Tage, an denen sie es vorgezogen hätte, Einzelkind zu sein. Auch wenn sie ihren kleinen Bruder eigentlich ja schrecklich liebhatte, in solchen Momenten fragte sie sich dann doch, weshalb ihre Eltern sich unbedingt ein zweites Kind anschaffen mussten. Ein Hund wäre ihr auf alle Fälle lieber gewesen. Und da sie sich für die Kindereien von Gabriel sowieso zu alt fühlte, konnte sie auch keine gemeinsamen Interessen mit dem kleinen Plagegeist ausmachen.

Als sie die Küche betrat, konnte sie durch die Gardinen gerade noch ihre Mutter sehen, die, wie jeden Morgen, mit der Post in der Hand die Garagenauffahrt hoch rannte. Sharon arbeitete als Assistentin in einer Anwaltskanzlei und schien es irgendwie immer eilig zu haben, obschon Mia nie genau verstand, warum das so war.

Da es Samstag war, war Sharon nicht wie üblich mit Minirock und Blazer gekleidet, sondern passend fürs Yoga in einem blauen Trenchcoat. Ihre blonden Locken fielen ihr gewohnt leicht chaotisch auf die Schultern.

Sie hätte sich gewünscht, Locken wie die ihrer Mutter zu haben. Doch dieser reizende Bonus wurde Gabriel zuteil. Ihre Haare waren auch blond, aber gerade und dünn, so dass sich frisurentechnisch gesehen kaum was mit ihnen anstellen ließ. Sie hatte es schon vor Jahren aufgegeben, eine einigermaßen ansehnliche Frisur zu zaubern. Meistens trug sie deshalb ihr Haar zu einem Pferdeschwanz gebunden. Dafür war sie mit ihrer kleinen, zierlichen Nase und ihren haselnussbraunen Augen zufrieden, die ihrer Meinung nach einen einigermaßen vorzeigbaren Kontrast zu den hellen Haaren ergaben. Die Augenfarbe hatte sie von ihrem Vater geerbt, der mehr auf Geschäftsreisen als zu Hause war.

»Mia, nun komm schon!«, schrie Gabriel, der sich bereits auf der Fußschwelle der Haustüre befand. Er konnte es kaum erwarten, ihr das zu zeigen, was ihn so in Aufruhr versetzte. Mia trottete wenig begeistert hinter ihrem Bruder her und konnte gerade noch sehen, wie Sharon mit ihrem schwarzen Opel davonbrauste. Vermutlich war sie wieder einmal knapp in der Zeit. Sharon kam immer auf den letzten Drücker zu ihren Terminen. Eine Eigenschaft, die sie auf die Palme bringen konnte. Ganz im Gegensatz zu ihrer Mutter war sie meist sogar vor der abgemachten Uhrzeit am vereinbarten Ort.

»Wir müssen schon ein Stück laufen«, meinte Gabriel und fügte hinzu: »Also in den Wald, meine ich.«

Sie verdrehte die Augen. »Wenn ich das gewusst hätte, wäre ich liegengeblieben«, sagte sie genervt.

Petrus schien sich im Datum geirrt zu haben, denn für einen Tag Mitte April schien die Sonne gnadenlos auf die asphaltierten Straßen hinunter und Mia war für einmal froh, dass sie von Natur aus überbesorgt war und die Sonnenbrille mit eingepackt hatte. Gabriel, der genau das Gegenteil von ihr war und lieber in den Tag hineinlebte, als sich um irgendwas zu kümmern, lief fröhlich pfeifend barfuß vor ihr her.

Als sie ihren Bruder genauer betrachtete, fiel ihr auf, dass seine Beine, die unter den Shorts hervorlugten, total zerkratzt und äußerst notdürftig mit Pflaster versehen waren.

Gabriel führte sie in den Wald. Der kaum sichtbare Pfad führte durch Dickicht und Geäste. Der Weg wurde schon lange nicht mehr von jemandem genutzt. Efeu und Farne eroberten ihren Platz zurück und erschwerten das Durchkommen.

»Wie kommt man auf die Idee, hier lang zu gehen? Der Pfad ist ja kaum noch zu erkennen und ich habe mir bereits das Bein an einem der Sträucher aufgekratzt«, meinte sie zu dem immer noch munter pfeifenden Gabriel. »Ich saß auf der Wiese vor unserem Haus und hab Cornflakes und Kekse gegessen. Da kam plötzlich ein angsteinflößendes Tier, es sah aus wie ein graues Pferd mit einem Hundekopf«, erklärte Gabriel, griff mit seiner linken Hand in seine Hosentasche und holte verkrümelte Kekse hervor, die dann auch sogleich in seinen Mund wanderten. Mampfend fuhr er fort: »Erst schaute es mich nur traurig an, dann schnappte es sich meine Kekse und lief davon und ich ihm hinterher.«

»Ja klar, Gabriel, das Tier war eine Mischung zwischen Pferd und

Hund. Glaubst du ja selber nicht!« – »Wenn ich es doch sage!«, vertei-
digte sich Gabriel.

Sie hatte keine Lust, mit ihrem Bruder zu diskutieren, und lief schweigend hinter ihm her.

Der Weg wurde immer dunkler. Das vom Morgentau feuchte Holz er-
schien fast schon schwarz und verlieh diesem ohnehin schon düsteren
Pfad noch mehr Kälte und Dunkelheit. Gerade als sie dachte, dass der
Weg nicht noch trostloser werden könnte, bahnten sich wie aus dem
Nichts Lichtstrahlen ihren Weg durch das dunkle Dickicht. Allmählich
wurde es immer heller und unter ihren Füssen fühlte sich die matschige
Erde plötzlich warm und weich an. Sie schaute erstaunt auf den Boden
und stellte leicht erschrocken fest, dass sie auf Moos lief, und dass das
Moos unter ihren Füssen schneeweiß war. Durch die hellen Strahlen,
die auf das weiße Moos fielen, schien es durch die Reflexion des Lichtes
fast schon so, als würden sie über tausende von weißen Schneekristal-
len spazieren. So etwas hatte sie noch nie zuvor gesehen. Doch ihr blieb
keine Zeit darüber nachzudenken, denn was sie als Nächstes sah, ließ
ihr den Atem stocken. Mit weit aufgerissenen Augen und offenem Mund
stand sie staunend da und ihre Hand suchte nach ihrem Bruder.

»Das ist unglaublich, nicht?«, jauchzte Gabriel vor Freude und hüpfte
vor ihr herum.

»Das ist überwältigend schön«, sagte Mia, die endlich wieder ihren
Atem gefunden hatte.

Vor ihren Augen öffnete sich eine große Weite, ein Feld voller Mohnblumen, die alle rot leuchteten. Es schien, als würden die roten Köpfe
der Blumen von kleinen Lichtern beleuchtet werden. In der Mitte des
Feldes stand ein Stein und auf diesem thronte die größte aller Blumen.

Sie rannte vor lauter Freude los und ließ sich lachend inmitten der
Mohnblumen fallen.

»Nicht!«, rief Gabriel. »Nein! Du hast allen Blumen das Licht geklaut!«
Gabriel starrte seine große Schwester fassungslos an. Seine weit geöff-
neten Augen spiegelten seine Fassungslosigkeit wider. »Was hast du
getan, Mia?«, fragte er entrüstet.

Entsetzt schaute sie um sich. Gabriel hatte Recht. Alle Mohnblumen
hatten ihr Leuchten verloren und waren plötzlich schwarz und trostlos.

»Aber warum?« Sie stand auf und schaute verwirrt zu Gabriel, als ihr
Blick auf etwas Graues direkt hinter ihrem Bruder fiel.

Ein graues, über drei Meter hohes, pferdeähnliches Wesen mit einem Hundekopf stand zähnefletschend dort am Rande des Feldes und starrte Mia aus seinen schwarzen Augen wütend an. Es war ein angsteinflößender Anblick. Sie verspürte einen peitschenden Stich im Herzen. Der Schmerz schien ihr die Kehle zuzuschnüren, so dass ihr keine Möglichkeit mehr blieb zu atmen. Sie fasste sich erschrocken an den Hals und rang vergeblich nach Luft. Ihr wurde schwindelig. Kurz bevor ihre Beine versagten, ließ der durchdringende Blick des fürchterlichen Tiers von ihr ab und der Schmerz in ihrem Körper machte der Entspannung Platz. Sie verlor den Halt unter den Füssen und sackte zu Boden.

»Mia, mein Schatz, komm trink etwas Tee.«
Mia öffnete ihre Augen und nahm verschwommen die Gestalt ihrer Mutter wahr. »Mama, was machst du denn hier? Wo sind wir?«
»Du bist zu Hause, mein Schatz, wo sollten wir sonst sein?«, entgegnete ihre Mutter mit sanfter Stimme. Mia konnte erkennen, wie ihr Sharon eine Tasse mit dampfendem Tee entgegenstreckte. Sie setzte sich langsam auf und griff sich an ihre Stirn, die sich heiß und feucht anfühlte.
»Nein. Das Feld. Das Tier. Gabriel. Die schwarzen Augen. Ich habe Schmerzen.«
»Du bist hier zu Hause in deinem Bett, jetzt trink deinen Tee.«
»Nein, Mama, ich habe die Lichter ausgelöscht, ich bin schuld, ich muss zurück. Wo ist Gabriel?«
»Gabriel schläft schon lange. Du bleibst jetzt schön hier in deinem Bett, du bist ja völlig verwirrt. Nimm einen Schluck Tee.«
Mia nahm widerwillig einen Schluck des heißen Pfefferminztees. Der erfrischende Geschmack wirkte belebend.
»Danke, Mama«, flüsterte sie.
»Gerne, mein Schatz. Und jetzt versuch nochmal zu schlafen.« Sanft drückte Sharon ihr einen Kuss auf die Stirn, löschte das Licht und ging aus dem Zimmer.
Mia tastete mit ihren Händen die feine Seide ihres roten Bettbezuges ab. Sie fühlte sich echt an. Langsam und mit geschwächten Armen griff ihre Hand nach dem Lichtschalter ihrer Nachtischlampe. Das schummrige Licht ließ das Zimmer beinahe so scheinen, als sei es aus einem romantischen Gemälde entsprungen, aber das war wirklich ihr Zimmer. Um sicherzugehen, schaute sie sich hastig um.

Da waren ihre Kleider vom Vortag, die wie gewohnt unachtsam auf den Stuhl geworfen waren und zerknittert die Lehne bedeckten. Die beiden roten Luftballons und die Geburtstagskarte von Papa. Ihr Deutschbuch und ein Vortrag über »*Die Nebel von Avalon*« für die nächste Deutschstunde lagen auf dem Boden. Die silberne Kette mit einem Herzanhänger und der Innschrift »*Die Beste*« von ihrer Freundin Lea hing über ihrem Bettpfosten und der kleine Teddy von Ben bedachte sie aus seinen schwarzen Knopfaugen mit einem fragenden Blick. Das war wirklich ihr Zimmer.

Die roten Vorhänge bewegten sich neben dem offenen Fenster sanft im Wind. Plötzlich drängte sich ein angsteinflößender Gedanke in ihr Bewusstsein.

»Wenn ich die ganze Zeit schon schlafend im Bett gelegen hatte, was war dann passiert, nachdem Gabriel mich so unsanft aufgeweckt hatte? Habe ich einfach weitergeschlafen und das Erlebnis mit dem Mohnblumenfeld und dem furchteinflößenden Tier mit den beängstigend schwarzen Augen nur geträumt?«, dachte sie und fuhr sich nachdenklich mit beiden Händen über die Stirn.

Aber wie war es möglich, einen ganzen Tag zu verschlafen, ohne dabei von einem Hunger- oder Durstgefühl geweckt zu werden? Auch konnte sie sich beim besten Willen nicht daran erinnern, die Toilette mal aufgesucht zu haben. Und krank fühlte sie sich auch nicht, abgesehen davon, dass sich ihre Augenlider schwer und geschwollen anfühlten. Sie musste wohl geweint haben. Irgendwas schien hier ganz falsch zu sein. Der Gedanke daran ließ sie erschaudern. Schützend zog sie sich ihre Bettdecke bis ans Kinn, ließ ihren Kopf müde ins Kissen zurücksinken, schloss die Augen und wurde mit sanften, aber fordernden Händen vom Schlaf eingehüllt.

In ihrem Traum rannte sie in einem weißen Kleid durch ein leuchtendes Mohnblumenfeld. Hinter ihr vernahm sie das Lachen von Gabriel. Sie fühlte sich wunderbar leicht und drehte sich in einer schwungvollen Pirouette zu ihrem Bruder. Doch statt Gabriel sah sie zu ihrem Entsetzen erneut das riesige graue Pferd mit dem Hundekopf. Seine schwarzen Augen leuchteten und sie hatte das Gefühl, sie verbrenne bei lebendigem Leib. Die Augen des Tieres schauten sie durchdringend und siegessicher an, bis plötzlich der ganze Körper des Wesens vollkommen in brennendem Feuer erstrahlte und an der Stelle dieses Tieres der brennende Körper eines Mannes zum Vorschein kam.

Sie erwachte erneut und schrie. Schweißüberströmt setzte sie sich auf und schaute sich verwirrt in ihrem Zimmer um. Sie ging zum Fenster. Der Mond leuchtete hell und silbern. Sie versuchte gleichmäßig zu atmen. Alles schien normal zu sein. Der Traum, das Tier und der brennende Körper: sie waren plötzlich ganz weit weg.

DER FREMDE

Aus weiter Ferne drang das schrillende Piepsen des Weckers in Mias Ohren und drängte sich unsanft in ihr Bewusstsein. Mühsam schälte sie sich aus ihrem Bett. Sie fühlte sich gerädert, so als ob ihr Körper eine schwere Krankheit ausgestanden hätte. Noch schlaftrunken setzte sie sich langsam auf. Ihre Füße berührten den rosafarbenen Teppich, den sie damals mit ihrer Mutter zusammen für ihr Zimmer aussuchen durfte. Es tat gut, Boden unter den Füssen zu spüren.

»Mia!« Mia zuckte zusammen, als sie die Stimme ihrer Mutter hinter ihr vernahm.

Sharon stand in der Tür.

»Mia, mein Schatz, wie fühlst du dich? Du siehst immer noch etwas käsig aus«, meinte sie besorgt und fuhr fort: »Wenn du dich angezogen hast, dann komm in die Küche. Ich möchte, dass du noch was isst, bevor du in die Schule gehst. Du hast sehr lange geschlafen.«

Mia starrte gedankenverloren und schläfrig auf den Fußboden. »Hast du mich verstanden, Mia?«, ihre Mutter musterte sie mit einem besorgten Blick. »Ja, Mama, ich werde noch etwas essen, bevor ich zur Schule gehe«, antwortete sie leise und mit trockener Stimme. Sie lief langsam zum Schrank, griff nach den Jeans, die zuoberst auf dem Kleiderstapel lagen, und entschied sich für einen roten Pullover. Die Haare band sie sich zu einem lockeren Pferdeschwanz hoch, ehe sie die Treppe runterrannte, sich ein Stück Marmeladenbrot aus der Küche schnappte, das Sharon für sie vorbereitet hatte, und es in kleinen hastigen Bissen aß, während sie bereits zu ihrem Fahrrad ging. Kaum hatte sie den letzten Bissen hinuntergeschluckt, fuhr sie los.

Der kalte Fahrtwind wirkte erfrischend und sie fühlte sich schon viel lebendiger als noch vor ein paar Minuten. Sie schloss für einen kurzen Moment die Augen, hob beide Arme hoch, atmete tief ein und aus und fühlte sich, als würde sie fliegen, weit weg fliegen. Sie lachte und war glücklich. In der Schule angekommen, wünschte sie sich, der Weg dorthin hätte länger gedauert.

Als sie das Klassenzimmer betrat, saß ihre Deutschlehrerin mit einer dampfenden Tasse Tee bereits an ihrem Pult. Susanne Merte war ihr

Name. Eine Frau Mitte fünfzig. Ihr schwarzes Haar mit den grau melierten Strähnen trug sie zu einem strengen Pferdeschwanz nach hinten gebunden. Der schwarze Pullover mit dem grauen knielangen Rock und den schwarzen geschnürten Schuhen unterstrich ihr strenges Erscheinungsbild. Passend dazu trug sie eine schwarze Hornbrille mit dicken Gläsern.

Müde von der kräftezehrenden Nacht und immer noch bleich ließ sich Mia lustlos auf dem freien Stuhl neben ihrer besten Freundin Lea nieder.

Lea hieß eigentlich Lexandra, wurde aber schon seit Mia sich erinnern konnte ganz einfach Lea genannt.

»Wie siehst denn du aus? Also das Monster von Loch Ness ist heute ja wohl gar nichts im Vergleich zu dir. So was nach deinem Geburtstag, also ich weiß ja nicht. Oder ist das wohl schon das Alter?«, stellte Lea mit einem neckischen Unterton fest und drehte mit ihren Fingern Locken in ihr schwarzes Haar.

Lea hatte schwarzes dickes Haar, olivgrüne Augen, einen das ganze Jahr hindurch natürlich gebräunten Teint und einen athletischen Körper. Zudem war Lea, ganz im Gegensatz zu Mia, immer nach der neusten Mode der angesagten Hochglanzmagazine gekleidet.

Mia hingegen bevorzugte den »Hauptsache-bequem-Look«, den sie jedoch immer so kombinierte, dass es wenigstens einigermaßen danach aussah, als würde sie der Mode zumindest einen kleinen Stellenwert einräumen. Am liebsten trug sie einen etwas übergroßen Pullover mit Strumpfhosen und Stiefel. Im Winter durfte dann auch der gigantisch lange Schal dazu nicht fehlen. Auf der Prioritätenliste bei der Kleiderzusammensetzung stand vor allen Dingen aber ein übergroßes Oberteil. Und dies nicht deshalb, weil sie etwas zu verbergen hätte. Schließlich hatte sie, dafür dass sie kaum Sport trieb, eine fast schon zerbrechliche Figur. Der Grund für die übergroßen Oberteile war der, dass sie darin das spezielle Gefühl der Sicherheit hatte. So als könnte sie jeden Moment ganz einfach darin abtauchen, wenn ihr etwas zu viel werden würde.

»Hallo, Erde an Mia. Bist du noch hier?«, Lea schnipste nervös mit ihren Fingern vor Mias Gesicht herum. »Ich habe dich gefragt, ob sich das Alter bei dir schon bemerkbar gemacht hat, so fürchterlich mitgenommen wie du heute aussiehst.«

Mia hatte keine Nerven, um auf die zynische Bemerkung ihrer besten

Freundin einzugehen. Ihr Blick schweifte aus dem Fenster, direkt auf das Schulgebäude.

Der kleine Vorhof der Schule von Kentää erschien im grauen Aprilwetter noch trostloser und wirkte mit den immer noch nackten Bäumen fast schon gespenstisch.

In Valmostaat, wo Mia herkam, trugen wenigstens bereits die ersten Bäume ihre Blüten. Doch es schien, als hätte der Frühling in Kentää es sich anders überlegt und sein Erscheinen auf später verschoben. Wie so oft erinnerte der Himmel an ein graues Tuch. Mit dem noch trostloseren Unterschied, dass der Regen unaufhörlich und fast fordernd gegen die Fensterscheiben des Klassenzimmers prasselte.

Sie lebte seit ihrer Geburt auf der Insel Marvengaard, einer Insel zwischen Norwegen und den britischen Inseln, die bekannt war für ihr wechselhaftes Wetter. Auf Sonnenschein konnte stärkster Regen folgen und es geschah häufiger, dass das Wetter an nebeneinanderliegenden Orten vollkommen anders war. So konnte es vorkommen, dass es in Kentää regnete, in Valmostaat aber die Sonne schien. Und dies, obwohl sich die beiden Dörfer direkt nebeneinander befanden und nur durch den kleinen See Lake Kutamo getrennt wurden. Kentää und Valmostaat befanden sich im Herzen der Insel Marvengaard. Die Insel zu Fuß zu umrunden, würde ganze vier Tage benötigen.

Mia strich sich gedankenverloren eine blonde Strähne aus dem Gesicht.

»Was ist los mit dir?«, flüsterte Lea neben Mias Ohr. »Nichts, alles okay«, hörte Mia sich selber sagen und spürte, wie das Blut in ihren Kopf stieg. Eine unangenehme Reaktion ihres Körpers auf Lügen. »Komm schon, ich sehe es deinem Gesicht an, dass du mir etwas verheimlichst. Du bist ja rot wie ein Krebs.«

»Es ist alles gut, wirklich«, entgegnete Mia mit einem bestimmenden Unterton, um der nervenden Fragerei von Lea ein Ende setzen zu können.

»Sharon war gestern nur wieder mal genervt, weil Papa seine Geschäftsreise verlängern musste. Und seine Geburtstagskarte kam natürlich auch noch verspätet. Da hätte er es besser gleich gelassen.«

Mia war sich bewusst, dass Lea bei diesem Thema klein beigeben würde. Schließlich waren die Probleme von Mia mit ihrem Vater nicht erst seit kurzem in ihrem Leben vorhanden, und sie wollte sich schlichtweg nicht mehr damit befassen.

Eine Tatsache, die Lea sehr wohl bewusst war.

»Wenn du meinst. Was ist eigentlich mit deinem Vortrag? Hast du ihn noch fertig geschrieben?« Erschrocken schaute Mia ihre Freundin an. Klar, den Vortrag, den hätte sie ja fast vergessen. Heute waren die ersten drei Schüler dran und Mia gehörte zu den ersten dreien, die ins kalte Wasser geworfen wurden und vor all ihren Klassenkameraden referieren mussten. »Auch das noch, das hätte ich ja fast schon vergessen«, sagte sie erschrocken. Lea musste sich ein Lachen verkneifen.

»Ach Murmel, du wirst das schon packen. Roter als eine Tomate wirst ja wohl auch du nicht werden können.«

»Scherzkeks«, entgegnete Mia. »Du hast etwas gut bei mir. Erinnere mich daran, wenn du deinen Vortrag halten musst«, fügte sie neckisch hinzu und freute sich darüber, dass Lea es irgendwie immer wieder schaffte sie aufzumuntern.

»Mia!« Die Stimme von Frau Merte verschaffte sich Gehör durch das ganze Klassenzimmer, bis hin zu Mias Ohren. »Dann wäre ich froh, wenn du mit deinem Vortrag über …«, Frau Merte fasste mit ihren dünnen langen Fingern suchend in einen Papierstapel und schielte über ihre schwarze Hornbrille hinweg auf ihre Notizen, »ach ja, mit deinem Vortrag über Avalon beginnen könntest.«

»Wünsch mir Glück«, meinte Mia, erhob sich von ihrem Platz und drehte sich noch einmal hilfesuchend zu ihrer besten Freundin um.

Lea hob beide Daumen in die Höhe und schenkte ihr ein Lächeln, wie es wohl optimistischer nicht hätte sein können. Mia lief zwischen den Stühlen durch das Klassenzimmer und spürte förmlich, wie ihre Knie immer weicher wurden. Sie stolperte Richtung Lehrerpult und fand im letzten Moment das Gleichgewicht wieder.

Die Klasse lachte und Mia wünschte sich, es würde sich ein Loch im Boden öffnen, in dem sie versinken könnte. Endlich beim Lehrerpult angekommen, gab Frau Merte ihr ihren Stuhl frei und schaltete den Tageslichtprojektor ein.

Die ganze Klasse saß gespannt da.

»Gib's uns, Baby!«, schrie Sven aus der rechten hinteren Ecke des Klassenzimmers nach vorne. Allgemeines Gelächter brach aus.

»Fertig mit euren humorvollen Einlagen. Auch du, Sven!«, meinte Frau Merte in einer leicht erhöhten Stimmlage. Stille. Alle Augen waren auf Mia gerichtet. Glücklicherweise wurde sie aber derart vom hellen Licht des Projektors geblendet, dass sie die Blicke zwar auf ihrer Haut spüren, aber nicht sehen konnte. Eine fast schon beruhigende Tatsache. Sie atmete tief ein und aus und begann ihren Vortrag. »Die Nebel von Avalon – ein Fantasy-Roman von Marion Zimmer Bradley.«

Mia hielt kurz inne, um neuen Atem zu holen, als im selben Moment die Tür des Klassenzimmers mit einer enormen Wucht aufgerissen wurde, fast schon so, als wäre der Urheber dieser brachialen Aktion auf der Flucht.

Mitten im Türrahmen stand ein Junge. Verwaschene Bluejeans, ein graues Kapuzenshirt und eine ziemlich vergilbte, aber merklich schwarze Lederjacke. Seine Kleidung war vollkommen durchnässt und seine vollen braunen Haare ließen das Wasser des Regens auf den Boden des Klassenzimmers tropfen.

Totenstille herrschte unter den Schülern und alle blickten leicht entsetzt und neugierig zugleich auf den fremden Jungen. Und der fremde Junge blickte leicht entsetzt und neugierig zugleich direkt in die Augen von Mia.

Mia sah wie gebannt in die Augen des Jungen und verspürte einen peitschenden Stich im Herzen. Gleichzeitig fühlte sie jedoch jede einzelne Faser ihres Körpers und spürte das Blut in ihren Adern fließen. Es schien, als würde das erste Mal Leben in ihrem Körper existieren.

Sie hielt den Atem an und konnte ihren Blick nicht von den wundervoll karamellfarbenen Augen des unbekannten Jungen lassen. Der Blick in seine Augen fühlte sich befremdend und zugleich unendlich vertraut an, so als wäre sie endlich zu Hause.

In ihrem Kopf drehte sich ein Karussell. Ihr Kreislauf versagte und sie stürzte seitwärts vom Stuhl auf den Boden. Ihr Kopf schlug dumpf auf dem harten Linoleum des Klassenzimmers auf.

Schwarz.

Im Licht der Sonne

Als Mia erwachte, lag sie auf dem Rücken mitten in einem Mohnblumenfeld und sah den wundervollen roten Mohnblumen zu, wie sie im Licht der Sonne tanzten. Ein warmes Gefühl der Sicherheit breitete sich in ihrem Körper aus.

Langsam drehte sie ihren Kopf zur Seite und ihr Mund öffnete sich voller Erstaunen, als sie in wunderschöne karamellfarbene Augen blickte. Ein Junge, den sie noch nie zuvor gesehen hatte, lag neben ihr. Er sah sie mit seinen hellen Augen an und schmunzelte. »Hey Blume, was ist? Warum schaust du mich so erschrocken an, als hättest du die neue Hexe unseres Dorfes erblickt?«, flüsterte er mit einer samtweichen Stimme und strich ihr ein braunes Haar aus der Stirn.

»Was ist mit deinem Gesicht? Ich kenne deine Augen irgendwoher, aber wieso erscheint mir dein Gesicht fremd?«, flüsterte sie dem unbekannten Jungen mit trockener Stimme zurück. »Fühlst du dich unpässlich? Ist dir nicht gut, Aurora?«, meinte er besorgt und stützte sich auf seinen linken Arm, um Mias Gesicht besser sehen zu können. Seine Augen schauten sie kritisch an und wirkten plötzlich betrübt.

»Mit mir ist alles in bester Ordnung, aber ich weiß nicht, wo ich hier bin. Ich weiß nicht, wer du bist. Und warum nennst du mich Aurora?« Mia war außer sich und wollte, sie könnte verstehen, was hier vor sich ging. Sie schaute ihn fragend an, in der Hoffnung, er könne ihr Antworten geben.

Der Junge spielte mit seinen Fingern verträumt mit einer braunen Strähne von ihrem Haar und legte sanft seinen Zeigefinger auf ihre halboffenen Lippen. Das Licht der Sonne leuchtete in seine goldblonden Haare und verlieh ihm eine Schönheit, die Mia den Atem stocken ließ. »Pssst, meine liebste Aurora, ich bin hier. Was begehrt dein Herz noch mehr?«

»Mia, Mia! Kannst du mich hören?« Mia vernahm aus weiter Ferne die Stimme der Schulschwester und spürte eine kalte Hand auf ihrer heißen Stirn. Langsam versuchte sie ihre Lippen zu öffnen, um antworten zu können. Doch ihre Stimme versagte. Ihr Mund fühlte sich ausgetrocknet an. Sie griff mit der linken Hand an ihren Hals. Der gesamte Nackenbereich schmerzte und der Kopf pochte so laut, dass kaum ein Wort verständlich zu ihr durchdringen konnte.

»Mein liebes Kind, du bist im Krankenzimmer. Versuch dich mal langsam aufzusetzen und trink einen Schluck Wasser.«

Mia spürte, wie die Hand der Schulschwester ihre Schulter berührte, um ihr beim Aufsitzen zu helfen. Sie sah sich im Raum um. An den holzgetäferten Wänden hingen Bilder von Blumenfeldern und Tieren. Links und rechts von ihr standen Betten. Erst jetzt wurde ihr bewusst, dass sie sich im Krankenzimmer der Schule befand.

»Da bist du aber noch mal knapp davongekommen. Du warst fast schon beunruhigend lange weggetreten. Scheinbar bist du aber doch so hingefallen, dass du wohl keine Hirnerschütterung hast«, meinte die Schulschwester und drückte ihr ein Glas Wasser in die Hand.

Mia mochte die aufgeweckte, rundliche Dame mit den feuerroten Wangen. Schließlich kannten sie sich seit Mias erstem Schultag. Mia war von der Schaukel gestürzt und hatte sich ein Bein aufgekratzt. Damals gab es aber während der Behandlung einen Lutscher. Für das war sie nun wohl zu alt.

»Jetzt versuchst du das zu trinken. Danach bringe ich dir mein persönliches Wundermittel gegen Kreislaufbeschwerden und dann sieht die Welt schon wieder besser aus«, fügte die Schulschwester mit sanfter Stimme hinzu, um gleich darauf das Zimmer zu verlassen und das besagte Wundermittel zu holen.

Mia trank in langsamen Schlucken das wohltuende kalte Wasser und spürte, wie ihr Gedankenkarussell zur Ruhe kam und sich das Geschehene nochmals mit klarem Verstand in Erinnerung rufen ließ.

Weshalb war sie ohnmächtig geworden? Ihr Kreislauf schien ja bis kurz vor dem Zusammenbruch noch vollkommen stabil zu sein.

Verwirrt fasste sie sich wieder an den Kopf. Gedankenverloren spielte sie mit einer Strähne ihres Haares und studierte die bezaubernden Pigmente, die die Sonne, die durch das Fenster des Krankenzimmers schien, ihrem Haar verlieh. Fast schon wirkte es durch die Reflexion der Lichtstrahlen so, als wären in ihrem blonden Haar einzelne goldene Sterne eingewoben. Sie stockte mitten in der Bewegung. In ihrem Traum hatte sie braune Haare und in karamellfarbene Augen eines Jungen gesehen. Der Junge.

Langsam konnte sie sich wieder an den Moment kurz vor ihrer Ohnmacht erinnern. Sie hielt gerade ihren Vortrag und dann kam der Unbekannte ins Klassenzimmer gestürmt.

Irgendetwas in seinen Augen schien eine nicht definierbare körperliche Reaktion in ihr herbeigeführt zu haben. So als hätte sie ihre eigene Existenz das erste Mal fühlbar wahrgenommen. Eine gleichzeitig anziehende und abstoßende Kraft. Als würden zwei Pole aufeinandertreffen und mit ihrem Zusammenstoß eine überwältigend starke Energie im Raum freisetzen. Ein Gefühl, als wäre sie endlich zu Hause angelangt. Als wäre der Atem in jede Faser ihres Körpers gedrungen, um dort eine Erinnerung zu wecken, die schon seit sie lebte in ihr existierte.

»So, meine Liebe!«

Mia, in ihren Gedanken versunken, zuckte zusammen, als sie die Stimme der Schulschwester vernahm, die bereits unmittelbar neben ihr stand.

»Kindchen, entschuldige, habe ich dich erschreckt?«

»Nein, ich war nur gerade in Gedanken«, murmelte sie leicht verwirrt.

»Ach, das kommt schon wieder gut, ich habe hier mein Wundermittel, *»Trudys Wundermittel«*, selbst zusammengebraut, versteht sich. Mit dem wirst du schnell wieder auf den Beinen sein, Kind!«, sagte sie in einem sichtlich stolzen Ton und streckte ihr einen Löffel mit einer grünlich schimmernden Lösung hin. Mia nahm den Löffel entgegen und führte ihn langsam an den Mund. *»Immerhin riecht das Gebräu nicht noch komisch«*, dachte sie sich, während sie die klebrige Masse schlürfte. Das Mittel schmeckte erstaunlicherweise süßlich und erinnerte Mia an Lakritzstangen.

»Na, was sag ich, jetzt siehst du schon nicht mehr ganz so käsig aus. Aber sobald du heute im Verlauf des Tages eine Übelkeit verspüren solltest, gehst du bitte sofort zu deinem Hausarzt. Nicht dass du am Ende doch noch eine Gehirnerschütterung davongetragen hast«, meinte die Schulschwester besorgt.

»Murmel! Oh, wie geht es dir?« Lea stürmte aufgeregt zur Tür hinein und sah Mia mit ihren olivgrünen Augen besorgt an. Mia lächelte.

Murmel war der Kosename von Mia, seit sie mit Lea das erste Mal gemeinsam am Strand des Lake Kutamo gewesen war und tagelang mit Murmeln im Sand gespielt hatte.

Es war schön, Lea zu sehen. Es schien, als würde mit ihrer Freundin gleich auch wieder eine im Moment wichtige und angenehme Normalität zurückkehren.

»Es geht mir schon viel besser«, meinte Mia etwas verlegen darüber, dass sie Lea in solche Besorgnis gebracht hatte. »Was haben sie dir bloß angetan? Waren das die Ritter der Arthussage, die sich heimlich an die Hohepriesterinnen von Avalon rangemacht haben, oder die Nervosität wegen deines Vortrags?«, meinte Lea scherzend, setzte sich neben Mia auf das Krankenbett und gab ihr einen liebevollen Stups mit dem Ellbogen. »Und sieh dich an, dein Haar ist ganz struppig. Das müssen wir noch kämmen, bevor du nach Hause gehst. Ich kann nicht zulassen, dass die Welt dich so sieht. Auch nicht die Leute unserer Schule.«

Lea schaffte es, in jeder Situation noch an einem perfekten Erscheinungsbild festzuhalten. Sie zauberte auch gleich einen Kamm aus ihrer braunen Wildledertasche, um sich an die Haare von Mia zu machen.

»Wieso sollte ich nach Hause gehen, Lea?«

»Warum du nach Hause gehen solltest? Vielleicht deshalb, weil du gerade ohnmächtig warst? Die ganze Klasse war in Aufruhr. Alle waren besorgt und du hättest Sven sehen sollen. Kam von der hintersten Ecke des Klassenzimmers, wie von einer Tarantel gestochen angerannt, und hat sich benommen, als wärst du gestorben.«

»Wieso Sven? Der kann mich doch sonst nicht ausstehen. Was tut der denn jetzt so besorgt?«, entgegnete sie über die Erzählung ihrer Freundin etwas erstaunt.

»Das haben wir anderen uns dann auch gefragt. Deshalb wird er von der ganzen Klasse nun damit belästigt. Wir nennen ihn nur noch: ›Ritter Sven‹, erklärte Lea lachend, packte ihren Kamm wieder zurück in ihre Tasche und legte ihren Arm um Mia. »Soll ich dich nach Hause begleiten? Wäre doch ein super Grund, um die nächste Stunde Mathematik bei diesem langweiligen Professor Bogner zu schwänzen.«

»Nein, danke«, entgegnete Mia. »Ich möchte gerne wieder mit in die Klasse kommen. Ablenkung kann ja nicht schaden. Auch wenn es die langweilige Stunde von Bogner ist.«

»Wieso Ablenkung?«, fragte Lea ihre Freundin nun sichtlich irritiert. »Du wurdest ohnmächtig. Ich nehme an, das ist ja wohl ein körperliches Problem, der Situation nach zu beurteilen. Oder habe ich was verpasst?«

»Ich weiß es nicht«, murmelte Mia kleinlaut, um dann etwas lauter hinzufügen zu können: »Wie macht sich der Neue in der Klasse? Hat er schon einen Stempel aufgedrückt gekriegt?«

»Von wem sprichst du?«, fragte Lea leicht erstaunt und fügte hinzu: »Wir haben keinen neuen Schüler bei uns.«

Die Schulstunden zogen langsam an Mia vorbei. Sie war mehr körperlich als geistig anwesend und glücklicherweise wurde sie heute auch nicht von den Lehrern aufgerufen, da sich ihr Ohnmachtsanfall in der Deutschstunde bereits im gesamten Schulgebäude herumgesprochen hatte. Als wäre das nicht schon genug peinlich, musste sie in Chemie mit Sven zusammen eine Forschungsaufgabe über Gastheorie zusammen erarbeiten.

Sie war ohnehin schon abgeneigt, Aufgaben im Zweierteam erledigen zu müssen, aber dass sie dann noch ein Team mit Sven bilden musste, grenzte für Mia fast schon an eine Zumutung. Viel lieber hätte sie alleine gearbeitet. Nicht nur, dass sie sich alleine besser konzentrieren konnte, sondern auch ganz einfach deshalb, weil sie dann auch mit niemandem zu sprechen brauchte.

Wenigstens war die Zusammenarbeit mit Sven, zumindest was die Kommunikation anbelangte, angenehm, da beide während der gesamten Lektion nur das Nötigste miteinander sprachen.

Als es endlich zum Schulschluss klingelte, fühlte sie sich, als hätte sie jemand aus einem Gefängnis befreit. Schnell packte sie ihre Unterlagen in ihren Schulbeutel und begab sich zur Tür, als sie von Lars, dem Komiker der Klasse, angerempelt wurde.

»So, du, wieder auf den Beinen? Ich hoffe, Ritter Sven hat dich heldenhaft aus dem bösen Chemieturm befreit?«, meinte Lars neckisch und natürlich in einer für die ganze Klasse unüberhörbaren Lautstärke.

»Nein, ich habe mich selber aus dem Chemieturm befreit. Aber da du mich schon auf Chemie ansprichst, ein bisschen weniger davon würde deinen Haaren mal guttun, meinst du nicht?«, entgegnete sie selbstbewusst und spielte damit auf die unübersehbar wasserstoffblondierten Haare von Lars an.

Die ganze Klasse lachte laut und Mia lief sichtlich zufrieden an Lars vorbei aus dem Klassenzimmer.

Auf dem Schulhof angelangt, kam Mia eine aufgeregte Lea entgegengerannt. »Ach, da bist du ja endlich! Ich habe hier fast Wurzeln geschlagen«, meinte sie übertrieben dramatisch und unterstrich diese Aussage, indem sie ihr langes schwarzes Haar schwungvoll in den Nacken warf.

»Und wieso bist du überhaupt in Chemie? Habe ich dir nicht bereits vor geraumer Zeit gesagt, dass wir uns zusammen für den Musikunterricht eintragen könnten?«

»Ja, Lea, das hast du. Aber ich kann dir gerne nochmals ein Ständchen zum Besten geben, dann weißt du wieder, warum ich mich nicht für den Musikunterricht angemeldet habe.«

»Du hättest ja trotzdem kommen können. Einfach so, zum Spaß«, quengelte Lea kleinlaut vor sich hin.

»Klar, dann mache ich mich ja gleich zum Gespött der Schule. Da reicht mir meine Ohnmacht von heute Morgen, das war schon genug peinlich«, antwortete Mia forsch.

»Ich kann dich trösten, Murmel, hauptsächlich wird über Sven und seine Panikattacke, die er deinetwegen hatte, gesprochen. Apropos, Sven ist doch auch im Chemiekurs? Na erzähl, was läuft da?«, scherzte Lea und legte ihren Arm liebevoll um ihre beste Freundin.

»Nichts läuft da, was soll da schon sein. Hast du dir Sven mal angesehen? Also, ich bitte dich, ein bisschen Geschmack darfst du mir schon noch zutrauen. Auch wenn wir uns, was Männer anbelangt, wohl nie einig werden.«

»Was wohl auch gut so ist«, meinte Lea und drehte sich eine Locke in ihr Haar.

»Egal«, fuhr Mia fort: »Es hat wohl gereicht, dass ich mit diesem Dummkopf heute ein gemeinsames Chemieprojekt hatte«, und sie rollte genervt mit den Augen. »Ein gemeinsames Chemieprojekt, das klingt ja langweilig und vor allen Dingen klingt das ganz danach, als hättest du heute wohl nicht deinen besten Tag erwischt. Was meinst du, wollen wir dich mit einem Latte Macchiato im In-Style aufmuntern?«, fragte Lea und schaute sie mit einer ihrer typischen Lea-Blicke, bei denen Mia kaum Nein sagen konnte, an. »Na ja, warum nicht?«, antwortete Mia lachend und legte nun auch ihren Arm um Lea.

Sie war froh, dass Lea sie nicht mehr auf den neuen Jungen angesprochen hatte.

Bis das Wild erlegt ist

D as In-Style war das zurzeit am meisten angesagte Café in Kentää. Das Dorf besaß aber auch höchstens zwei ordentliche Cafés und mit dem »Teddy's« wenigstens noch ein einigermaßen vorzeigbares Pub, in dem sich an den Wochenenden der Großteil der Schüler aus Mias Klasse aufhielt. Vergnügen konnte man sich dort mit Billard oder Darts, was den Leuten vollkommen zu genügen schien.

Mia konnte sich nicht daran erinnern, dass jemand von den Jugendlichen aus Kentää oder Valmostaat jemals außerhalb der Ferien in eine andere Ortschaft fuhr.

In den Ferien reisten viele der Dorfbewohner nämlich ans nahegelegene Meer. Eine Tatsache, die zur Folge hatte, dass man auch dort wieder nur auf bekannte Gesichter stieß.

Vielleicht war es aber auch eine gewisse Angst vor dem Unbekannten, die sich bei den Inselbewohnern von Marvengaard eingeschlichen hatte.

Gerade die Dörfer Kentää und Valmostaat waren bekannt dafür, fast schon penibel an ihren Gewohnheiten festzuhalten. Auch in Kultainen, der Hügel oberhalb von Kentää, auf dem nur die Wohlhabendsten wohnten, hielt man lieber an Gewohnheiten fest, als sich mit Unbekanntem zu befassen. Die drei Dörfer waren schlichtweg ein »Nest«, wie es die Jugendlichen so schön auszudrücken pflegten. Das Einzige, was die Gegend, zumindest als Wochenenddestination, reizvoll machte, war der Lake Kutamo.

Mia verdankte den Zeiten an diesem See einige ihrer schönsten Kindheitserinnerungen. Bevor sie eingeschult wurde, hatte sie im Sommer mit Lea dort beinahe jeden Tag verbracht, um mit Murmeln zu spielen und Steine zu sammeln.

Wenn Mia an diese Zeit zurückdachte, dann schien ihr all dies so, als wäre es erst ein paar Tage her.

»Das ist ja mal wieder gerammelt voll hier«, stöhnte Lea, während sie die Tür des In-Style hinter ihnen schloss.

»Hey, Mädels, sucht ihr noch einen Platz? Ich hätte dort hinten neben dem Jungen mit den blonden Haaren noch einen Tisch für euch«, meinte ein junger, sportlicher Typ mit einem Lachen, das eine Reihe perfekt weißer Zähne enthüllte.

»Der ist perfekt!«, stammelte Lea verlegen und stupste Mia leicht an, die sich ein Lächeln nicht verkneifen konnte, da ihr natürlich nicht entgangen war, dass Lea den netten Platzanweiser meinte und nicht den Tisch.

Lea zupfte nervös an ihrem dunkelbraunen Mantel, strich sich die Haare aus dem Gesicht und lief mit verräterisch roten Ohren an Mia vorbei, direkt an den ihnen zugewiesenen Platz.

»Na toll«, jammerte Mia ihrer Freundin von hinten ins Ohr, »jetzt sieh mal, wer da sitzt. Lars, das Blondchen der Schule.«

Mit einem leicht argwöhnischen Blick in Richtung Lars setzte sich Mia an den Nebentisch.

»Na, wen haben wir denn da? Hast du noch nicht genug davon, mich in Chemie zu sehen, oder warum bist du hier?«, meinte Lars vom Tisch nebenan, mit einem leicht spöttischen Unterton an Mia gewandt.

»Kann man dich auch auf Stand-by stellen?«, entgegnete sie.

Lea lehnte sich auf ihrem Stuhl zurück und beobachtete die beiden amüsiert.

»Madame wird ja immer zynischer. Wo hast du deinen Superfreund Ben gelassen? Hätte der nicht auch eine Anwesenheitspflicht in der Schule, oder haben ihn seine stinkreichen Eltern freigekauft?«, konterte Lars mit einem selbstzufriedenen Lächeln und sah ihr herausfordernd in die Augen.

»Oh, Ben habe ich ja ganz vergessen. Ich habe mich mit ihm verabredet, um ihm die Hausaufgaben zu bringen«, meinte sie nun an Lea gewandt.

»Ja, dann nehmen wir doch einfach einen Coffee to go. Ich begleite dich noch zu Ben, ich habe sowieso keine Lust, neben diesem aufgeblasenen Blondschopf hier zu sitzen und mir seine dummen Sprüche anhören zu müssen. Siehst du, hättest du dich für den Musikunterricht entschieden, wäre dir dieser Blödian hier erspart geblieben«, meinte Lea schmunzelnd und in unüberhörbarer Lautstärke für den Nebentisch.

»Danke Lea, ja, lass uns gehen.«

Sie packte ihre beige Wildlederjacke unter den Arm, stand auf und begab sich mit Lea Richtung Bar, um einen Latte Macchiato zum Mitnehmen zu bestellen.

»Schönen Abend, Ladies!«, rief Lars triumphierend hinter ihnen her.

»So ein Kotzbrocken«, flüsterte Lea Mia ins Ohr.

Mit zwei dampfenden Pappbechern Kaffee in der Hand traten sie hinaus auf die Straße.

»Hey, ihr zwei!«, die Tür vom In-Style öffnete sich und der Barkeeper mit den auffallend weißen Zähnen stand mit Leas Portemonnaie in der Hand vor ihnen.

»Das hat wohl eine von euch beiden liegen gelassen«, meinte er und zeigte sein wohl charmantestes Lächeln.

»Oh, das ist meines«, stotterte Lea leicht verlegen und reichte dem Barkeeper ihre Hand, um das Portemonnaie in Empfang zu nehmen.

»Freut mich, ich bin Dirk«, der Barkeeper stellte sich ihr mit einer leichten Verbeugung vor.

»Ich gebe dir gerne dein Portemonnaie, wenn du mir versprichst, dass ich dich wiedersehen darf?«

»Wenn ich mal wieder hier bin, dann sehen wir uns ja vielleicht«, stotterte Lea verlegen in ihr rotes Halstuch hinein und nahm das Portemonnaie entgegen.

»Dann wohl bis dann vielleicht«, entgegnete Dirk sichtlich enttäuscht, drehte sich um und ging zurück in den Laden.

Kaum hatte sich die Türe hinter ihm geschlossen, prustete Mia vor Lachen los. »Meine Güte, Lea! Ich dachte, er gefällt dir!«

»Was habe ich da bloß für einen Müll von mir gegeben? Sieht er zu uns?« Mia warf einen kurzen Blick zurück durch die Glastür des Cafés. »Nein, ich denke, er arbeitet wieder.«

»Schade. Na ja, nach meiner Antwort hätte ich mich an seiner Stelle auch nicht mehr umgedreht.«

»Hm, so schlimm war das nicht. Vielleicht ist es ja auch gar nicht schlecht, dass du nicht gleich Freudensprünge gemacht hast. Das macht dich interessant, meinst du nicht? Und Männer brauchen das, du kennst ja meine Jägertheorie«, scherzte Mia und nahm Lea in den Arm.

»Das ist aber meine Theorie, Murmel. Die stammt höchstpersönlich von mir, Lea Jansen. Der Jäger jagt so lange, bis das Wild erlegt ist. Liegt es leblos vor ihm, ist es nicht mehr interessant und der nächste Beutezug kann beginnen«, meinte Lea fast schon altklug und fügte hinzu: »Oder etwa nicht? Der Großteil der Jungs macht sich doch dann aus dem Staub. Man dürfte sich gerade deshalb nie von einem erlegen, sondern nur jagen lassen. Wie anstrengend, immer interessant und spannend bleiben zu müssen«, seufzte Lea frustriert und vergrub ihr Gesicht wieder in ihrem Halstuch.

»Lea, meine Lea.« Mia stellte sich vor ihre Freundin und hielt sie mit beiden Händen an den Schultern fest.

»Schau mich an. Du bist immer, und damit meine ich, wirklich immer, interessant und spannend, und wenn ein Junge das nicht so sieht, dann ist es sein Pech, aber nicht deines. Nur weil Björn das nicht verstanden hat, heißt das nicht, das alle anderen das auch nicht verstehen.« Sie schaute Lea ernst in die Augen.

Björn war bis vor zwei Monaten der Märchenprinz schlechthin für Lea gewesen. Über Monate hinweg hatten sich die beiden getroffen und wundervolle Momente miteinander erlebt, bis Björn eines Abends wie aus dem Nichts das Ganze beendet hatte. Tagelang hatte sich Lea dann bei Mia ausgeweint. Stundenlang saßen die Freundinnen beieinander und versuchten, das Geschehene zu analysieren, um die plötzliche Entscheidung von Björn verstehen zu können. Doch so sehr sie sich auch angestrengt hatten, um hinter des Rätsels Lösung zu kommen, es gelang ihnen nicht. Bis sie sich dann darauf geeinigt hatten, dass es nun einfach so war und wohl auch gar nicht wirklich verständlich sein konnte. Lea hatte erst vor kurzem aufgehört, über Björn zu sprechen, obschon Mia wusste, dass Lea mit dem Ganzen noch nicht vollkommen abgeschlossen hatte.

»Verstehst du? Kein Mensch kann dein Selbstbewusstsein verändern, es sei denn, du lässt das zu und das tust du bitte nicht. Du bist zu wundervoll, um das zuzulassen, okay?«, meinte Mia mit sanfter Stimme. Lea schaute sie aus ihren braunen Rehaugen traurig an und lächelte.

»Ach Murmel, wenn ich dich nicht hätte, wo wäre ich dann bloß?«

»Manchmal in weniger verzwickten Situationen vielleicht?«, entgegnete Mia lachend und nahm ihre Freundin in den Arm.

Gemeinsam spazierten sie Arm in Arm in Richtung Kultainen. Während sie die wunderbar gepflegten Alleen entlang hinaufliefen und die pingelig angelegten Vorgärten mit den Villen bestaunten, sagte Lea: »Sag mal, warum hast du dir Ben nicht unter den Nagel gerissen? Mit ihm wärst du wahrscheinlich ein Leben lang finanziell abgesichert. So reich, wie die sind.«

Mia lachte.

»Ben ist mein bester Freund. Für mich ist das alles platonisch und das soll auch so bleiben. Ich mag Ben, aber nicht als festen Freund. Er sieht gut aus, aber das gewisse Etwas fehlt, glaube ich. Vielleicht ist er aber einfach schon zu lange in der Freundschaftszone und ich kann und will mir das deshalb auch gar nicht mehr anders vorstellen.«

Sie standen unterdessen vor dem prachtvollen Haus, das bereits seit Generationen im Besitz von Bens Familie war. Der übertrieben gepflegte Garten wurde von abgerundeten Hecken und einem eisernen Tor umsäumt. Das Betreten war für einen Eindringling wohl gar nicht so einfach. Zu abgesichert schien das Anwesen zu sein.

Mia drückte auf eine kupferfarbene Klingel an der rechten Seite der Tormauer. Einen kurzen Moment später erklang eine tiefe Stimme. »Fräulein Mia, Sie sind hier, um Ben die Hausaufgaben zu überbringen, nehme ich an?« Sie schaute in die kleine Kamera, die oberhalb der Mauer angebracht war, und antwortete: »Ja, das bin ich, Sir Lanzelot«, und meinte dann lachend an Lea gewandt: »Das ist Rupert, das Mädchen für alles, er wird sich das Fräulein wohl nie abgewöhnen.«

Lea schmunzelte, umarmte Mia, verabschiedete sich von ihr und lief alleine den Pfad Richtung Kentää wieder hinunter.

»Danke fürs Begleiten!«, rief Mia ihrer besten Freundin hinterher.

»Keine Ursache. Danke dir für deine aufmunternden Worte und bis morgen!«

Ben öffnete fröstelnd und in eine Wolldecke eingehüllt die Tür. Mit seinen schwarzen Locken, die ihm wild ins Gesicht hingen und den dunkelblauen Augen, die fiebrig von der Erkältung schienen, sah er richtig mitgenommen aus.

»Oh Ben, was haben dir die bösen Viren angetan? Du siehst ja fürchterlich aus«, meinte Mia mit einem Hauch Mitleid für ihren besten Freund.

»Ach echt? Ich habe heute noch gar nicht in den Spiegel geschaut, aber danke, du bist wieder mal unglaublich reizend«, entgegnete Ben gespielt beleidigt und fuhr fort: »Aber besser, du hältst einen Sicherheitsabstand ein. Nicht, dass du noch von meinen bösen Viren angegriffen wirst. Ich sage dir, die sind absolut skrupellos«, erklärte er und stützte sich mit seinem linken Arm am Türrahmen ab.

»Ich kann sowieso nicht bleiben. Ich muss nach Hause, Sharon wird länger auf der Arbeit sein. Und du weißt ja, dass ich den kleinen Rotzbengel Gabriel nicht alleine lassen kann, weil er sich sonst bei einem seiner Mätzchen im schlimmsten Fall versehentlich selber umbringt.«

Ben lachte und nahm Mia die Schulaufgaben, die sie ihm entgegenstreckte, ab.

»Danke. Ich hoffe, ich bin bald wieder in der Schule. Ist alles beim Alten oder gibt es irgendwelche Neuigkeiten?«

»Na ja, eigentlich nicht. Außer dass ich heute meinen Vortrag über ›Die Nebel von Avalon‹ hätte halten sollen und mittendrin ohnmächtig geworden bin.«

»Meine Güte, Mia. Und wie geht es dir? Wieso ist das passiert?«, seine Augen weiteten sich erschrocken.

»Keine Sorge, ich war wohl nur etwas unterzuckert, wie so oft halt. Aber komisch war, dass mitten in meinem Vortrag ein Junge ins Klassenzimmer gestürmt kam. So als wäre er auf der Flucht. Kannst dir ja vorstellen, dass das für Gesprächsstoff gesorgt hat.«

»Was hat für Gesprächsstoff gesorgt, dein Zusammenbruch oder der Junge?«

»Ach so, mein Zusammenbruch. Wegen Sven vor allem. Aber das kann ich dir ja sonst mal erzählen.«

»Wer war denn der Junge?«, fragte er und taxierte sie mit einem kritischen Blick.

»Keine Ahnung, es schien ihn niemand gekannt zu haben. Ziemlich mitgenommen sah er aber aus, mit all den nassen Kleidern und der vergilbten Lederjacke.«

»Vergilbte Lederjacke, hast du gesagt? Lustig, ich habe heute Morgen, als ich aus dem Fenster geschaut habe, auch einen Typen mit vergilbter Lederjacke gesehen. Er und seine Familie sind heute in die Villa nebenan gezogen«, meinte Ben und zeigte links an den perfekt in Form gebrachten Sträuchern vorbei auf ein riesiges Anwesen.

Die Villa war ein rotes Backsteinhaus. Mia konnte sich daran erinnern, dass es lange Zeit leer gestanden hatte. Scheinbar wollte der Besitzer des Hauses niemanden in seinem Anwesen haben.

»Lustig, dass es jemand geschafft hat, hier einziehen zu dürfen«, murmelte Ben und fügte nachdenklich hinzu: »Hat doch der Eigentümer das Haus schon seit Ewigkeiten verwildern lassen.«

»Vielleicht sind sie ja Verwandte des Eigentümers oder so?«, fragte sie und versuchte sich die Neugierde nicht anmerken zu lassen.

»Wie auch immer, ich habe jetzt neue Nachbarn. Schade, jetzt können wir wohl auf unsere Sommerpartys hier verzichten. So wie diese Familie auf mich den Eindruck gemacht hat, werden sie wohl nichts von solchen Späßen halten. Aber egal, ich muss wieder ins Bett. Ich fühle mich schrecklich«, meinte er und fasste sich erschöpft an die Stirn.

»Okay, Ben, aber ruf mich an, wenn du was brauchst«, erwiderte Mia und nahm die ersten paar Stufen der Treppe.

»Mia?«, sagte Ben.

»Ja?«

»Ich habe dich lieb.«

Sie lächelte und antwortete: »Ich dich auch, Ben.«

Vertraute Wärme

Mia hätte den Weg bis nach Valmostaat als Spaziergang nutzen können, doch obschon die Sonne noch schien, brachte die frühe Abendstunde eine eisige Kälte mit sich. Sie fröstelte, wickelte ihren überlangen gelben Schal noch einmal um den Hals, und entschied sich, die drei Stationen bis nach Hause mit der Straßenbahn zu fahren.

Die Türen der Straßenbahn quietschten, als sie sich öffneten. Sie konzentrierte sich beim Einsteigen auf die Treppen, um nicht der Länge nach hinaufzustolpern. Schließlich war das bei ihren teilweise unkoordinierten Bewegungen sehr gut möglich.

Die Leute in der Straßenbahn drängten sich dicht aneinander und Mia schaute sich suchend nach einem freien Platz um. Plötzlich erblickte sie ihn.

Der unbekannte Junge, der am Morgen ihren Vortrag gestört hatte, stand direkt vor ihr. Sie spürte, wie das Blut in ihrem Körper pulsierte. Ohne in einen Spiegel sehen zu müssen, war ihr klar, dass sie puterrot geworden war.

Es schien, als hätte die Zeit eine andere Form angenommen. Alles wirkte für einen Moment in der Bewegung erstarrt. Sie sah direkt in seine glänzenden karamellfarbenen Augen. Am liebsten hätte sie ihn umarmt und nie mehr losgelassen. So stark war dieses Gefühl, angekommen zu sein.

Seine Augen verwandelten sich in kleine Halbmonde und besaßen plötzlich noch mehr von dem bezaubernden Glanz. Als sie ihren Blick von seinen Augen lösen und ihn ansehen konnte, bemerkte sie, dass er lächelte. Sie strich sich verstohlen eine blonde Haarsträhne ins Gesicht und sah verlegen zu Boden. So, mit dem Gesicht nach unten, blieb sie die verbleibenden Stationen stehen. Unbeweglich wie eine Salzsäule, und mit einem Herz, das so laut pochte, als würde es jeden Moment ihren Körper in Tausende von Teilen zerreißen wollen. Sie versuchte, ihre Eindrücke zu ordnen. Was war an diesem Jungen so besonders? Sie kannte ihn ja noch nicht einmal.

Die Straßenbahn kam polternd zum Stillstand und riss Mia förmlich aus ihren Gedanken. Mit zitternden Beinen stieg sie aus. Die Kälte umschloss sogleich ihren Körper und verlieh ihrem Gedankenkarussell eine abrupte Nüchternheit. Sie fühlte, wie die Kälte sie langsam und beruhigend durchströmte und sich ihr Herzschlag normalisierte, als sie hinter sich schnelle Schritte vernahm. Eine Hand griff nach ihrer Schulter und eine unbekannte Wärme durchfuhr ihren Körper. Erschrocken drehte sie sich um und sah direkt in sein Gesicht. Er schenkte ihr ein bezauberndes, schiefes Lächeln, das seine Augen wieder in diese wundervoll karamellfarbenen Halbmonde verwandelte. »Entschuldige, du bist wohl schreckhaft?«, meinte er scherzend zu ihr und sein Lächeln wurde noch breiter.

Mia rang von der Situation überrumpelt nach Worten, doch es schien, als hätte sie ihre Stimme verloren.

»Ich bin Caspar. Nochmals, ich wollte dich nicht erschrecken und ich hätte auch nicht an dieser Haltestelle aussteigen müssen.«

Während er so sprach, bemerkte sie, dass seine Unterlippe zitterte und er sichtlich nervös war.

»Ich konnte nicht anders. Ich weiß, das mag sich verrückt anhören, und glaube mir bitte, ich habe bis heute nie so etwas gemacht. Aber noch bevor ich klar denken konnte, stand ich auch schon direkt hinter dir.«

Sie schaute ihn an und suchte immer noch verzweifelt nach ihrer Stimme.

»Bitte, darf ich dich auf einen Tee einladen? Oder was auch immer du gerne trinken magst?« Fast flehend sah er sie an und sein Gesicht erschien plötzlich ganz ernst. Was nichts daran zu ändern schien, dass seine Augen noch immer eine vertraute Wärme ausstrahlten.

»Honigsirup«, Mia hatte ihre Stimme wiedergefunden. »Aber ich kann nicht«, fuhr sie erschrocken fort. »Ich muss nach Hause zu meinem kleinen Bruder und ich denke«, ihre Stimme wurde plötzlich zittrig, »mein Freund hätte wohl ein Problem damit.«

»Oh, du hast einen Freund?« Caspar wirkte schlagartig irritiert und sein Oberkörper zuckte leicht von Mia zurück. »Na ja, und wenn wir uns an einem Sonntagnachmittag zum Babysitten treffen würden? Das wäre doch moralisch nicht verwerflich?«, meinte er dann hoffnungsvoll und sichtlich stolz über seine zündende Eingebung.

»Es tut mir leid«, sagte sie, »aber ich *kann* nicht.«

Ihr Herz schlug bis zum Hals und jede Faser ihres Körpers verlangte danach, nie mehr von ihm getrennt sein zu müssen. Aber ihr Verstand schien sich dagegen aufzulehnen. »Es tut mir leid. Ich wäre wirklich gerne mit dir mitgekommen«, sie drehte auf dem Absatz um und ging in schnellen Schritten davon, ohne sich noch einmal umzudrehen. Ihr Herz fühlte sich an, als hätte ihr jemand einen Dolch mit voller Wucht hineingerammt. Sie hielt ihre Brust und versuchte, aufrecht weiter zu gehen und bewusst zu atmen. Sie hatte noch nie Herzprobleme. Wie in einem Trancezustand und ohne einen klaren Gedanken fassen zu können, lief sie auf direktem Weg nach Hause.

»Mia, da bist du ja endlich! Ich habe Hunger, ich wäre fast verhungert!«, schrie Gabriel, kaum hatte sie die Türe hinter sich geschlossen. »Na warte, wenn ich Mama erzähle, dass ich wegen dir fast verhungert wäre!« Gabriel hielt drohend seinen Zeigefinger in die Höhe und seine Wangen leuchteten rot vor Aufregung.

Als Mia ihren kleinen Bruder genauer betrachtete, bemerkte sie, dass er ganz glasige Augen hatte.

»Gabriel, hast du geweint?« Sie kniete vor ihrem Bruder nieder, der auf dem Boden vor einem Spielzeugauto saß.

»Nein, habe ich nicht. Nur Mädchen tun so was«, meinte er mürrisch und drehte Mia den Rücken zu.

»Sicher hast du geweint, ich sehe es. Raus mit der Sprache, kleiner Mann, ich verrate es auch niemandem. Versprochen!«, sagte sie und strich ihm liebevoll über seine goldenen Locken.

Gabriel schwieg einen Moment und erzählte dann: »Papa hat angerufen. Er kommt am Wochenende nicht nach Hause, aber er hat mir doch versprochen, dass wir dann Fußball spielen werden.«

Gabriel vergrub sein Gesicht schützend in seinen Händen und fügte unter Tränen hinzu: »Wahrscheinlich wird er nie mit mir Fußball spielen, weil er es langweilig findet mit mir!«

Sein Schluchzen versetzte ihr einen Stich ins Herz.

»Papa wird bald mit dir Fußball spielen ... sobald er zurück ist«, sagte sie tröstend. Sie wusste, dass das eher unwahrscheinlich sein würde, da ihr Vater, wenn er zu Hause war, meistens im Büro saß und Schreibarbeiten zu erledigen hatte. Aber ihren kleinen Bruder deswegen traurig sehen zu müssen konnte sie kaum ertragen.

»Ich koche dir jetzt etwas und am Wochenende kann ich mit dir Fußball spielen.«

»Ich will aber nicht mit dir Fußball spielen. Du kannst das gar nicht!«, gab Gabriel trotzig zur Antwort und wischte sich mit dem Ärmel seines

Pullovers die Tränen aus dem Gesicht. Mia umarmte ihren kleinen Bruder tröstend.

Sie überlegte eine Weile, wie sie Gabriel aufmuntern könnte, stand auf und fragte: »Sag mal, was hältst du davon, wenn wir zu Jessy's gehen und Burger essen?«

Auf Gabriels Gesicht breitete sich ein Lächeln aus. Begeistert vom Vorschlag seiner Schwester hüpfte er jubelnd durchs Wohnzimmer.

»Ich ruf einfach noch kurz Lea an«, meinte Mia und schmunzelte über die Freude ihres Bruders.

»Aber danach gehen wir gleich!«, rief Gabriel immer noch hüpfend zu seiner Schwester.

»Danach gehen wir gleich. Versprochen!«

»Die Geschichte ist ja so romantisch!«, Lea quiekte am anderen Ende der Leitung überschwänglich in den Hörer. »Aber warum hast du ihm gesagt, dass du einen Freund hast? Das stimmt ja gar nicht!«, krächzte sie fast schon entrüstet ins Telefon.

Mia hatte gewusst, dass ihre Freundin so auf diese Geschichte reagieren würde. Sie konnte die Reaktionen von Lea für fast jede Situation voraussagen.

»Ich weiß es nicht. Ich habe jetzt noch Herzschmerzen, körperlich, verstehst du? Irgendwie scheint etwas an ihm nicht zu stimmen, dass ich in seiner Nähe so empfindsam reagiere. Das macht mir Angst. Ich habe mir gedacht, dass, wenn ich ihm sage, dass ich einen Freund habe, er sich dann nicht mehr in meine Nähe begeben wird. Und ich dann auch keine körperlichen Beschwerden mehr haben werde. Mein ganzer Körper scheint auf ihn zu reagieren. Lea, ich sage dir, das ist nicht normal.« Sie betonte den letzten Satz übertrieben stark, um ihrer Freundin den Ernst der Lage deutlich machen zu können.

»Ja, Mia, aber seine Unterlippe hat gezittert, hast du gesagt, oder? Das war bestimmt deinetwegen. Du hast ihn doch genauso nervös gemacht. Das nennt man Liebe auf den ersten Blick. Das ist wundervoll, wenn ihr beide dasselbe empfindet. Ich verstehe dein Problem nicht.«

Mia lief nervös in ihrem Zimmer auf und ab. »Ich war nicht nervös und er auch nicht. Es war etwas Anderes und das hat sicher nichts mit Liebe zu tun. Was es auch ist, es ist nicht normal. Bitte glaube mir, Lea. Und was sollte der Vorschlag mit dem Babysitten?«

»Oh, vermutlich hat er einfach etwas gesagt ohne nachzudenken. Babysitten ist doch mal ein romantischer Anfang. Ich freue mich ja so für dich! Und morgen besprechen wir alles ausführlicher. Aber ich muss jetzt auflegen, meine Mama will heute mit mir und ihrem langweiligen Macker zum Bowling. Wir hören uns, okay?«, sagte Lea und legte den Hörer auf, ohne die Antwort von Mia abzuwarten.

»*Tolle beste Freundin*«, dachte sie sich und schaute verärgert das Telefon in ihrer Hand an. Wenn nicht mal Lea das Problem verstehen konnte, dann würde es wohl niemand tun.

Sie lief die Treppe hinunter zu Gabriel und zweifelte plötzlich an ihrer gesunden Wahrnehmung.

Wiedergutmachung der Unvollkommenheit

Das Jessy's war gut besetzt. Das Lokal erinnerte mehr an eine Bibliothek als an ein Fast-Food-Restaurant. Bücherregale und Bilder berühmter Dichter und Autoren schmückten die Wände und das gedämpfte Licht tauchte den Raum in eine einladende und wohlige Atmosphäre.

»Ich will dahinten sitzen!«, schrie Gabriel aufgeregt und zeigte mit seinem Finger auf einen Tisch, der direkt neben einem grünen Kamin stand, der die Form eines feuerspuckenden Drachens hatte.

»Ja klar, dann setz dich schon mal hin und ich besorge uns die Burger«, meinte Mia liebevoll zu Gabriel, der sich bereits freudig einen Weg zwischen den besetzten Tischen hindurch bahnte.

Als sie nach kurzer Zeit bewaffnet mit Hamburgern und Limonade beim Tisch am grünen Kamin ankam, sah sie, dass ein Junge bei Gabriel war. Fasziniert saßen beide vor einem Spielzeugroboter.

»Hallo, ich bin Mia, die Schwester von Gabriel. Und wer bist du?«, sagte sie und streckte dem Jungen ihre Hand entgegen.

»Hallo, ich bin Leonard.« Der Junge, der ungefähr in Gabriels Alter war, reichte ihr höflich die Hand, um sich dann gleich wieder dem Roboter zuzuwenden.

»Mia, der Roboter kann sprechen!«, meinte Gabriel mit leuchtenden Augen.

»Das ist toll, Gabriel. Ich habe aber das Essen hier. Du kannst ja nachher wieder mit deinem neuen Freund spielen«, sagte sie leicht genervt und platzierte die dampfend heißen Burger und die Limonade auf dem Tisch.

»Leo, da bist du ja! Würdest du bitte nicht einfach fortlaufen. Ich habe dich überall gesucht!«

Mia zuckte zusammen, als sie eine vertraute und sichtlich verärgerte Stimme hinter sich vernahm. Sie drehte sich um und sah direkt in die Augen von Caspar. Als sein Blick den ihren traf, verwandelten sich seine Augen wieder in diese bezaubernden Halbmonde.

Ihre Beine fühlten sich plötzlich wie Wackelpudding an und mit ihrer

Hand griff sie verzweifelt und Halt suchend nach der Tischkante, um nicht das Gleichgewicht zu verlieren.

»Oh, hallo. Du siehst ja ganz blass aus. Geht es dir nicht gut?«, Caspar schaute Mia leicht verlegen und besorgt an.

»Nein, alles okay«, murmelte sie kleinlaut und klammerte sich noch stärker an der Tischkante fest.

»Das sieht aber ganz und gar nicht danach aus. Komm setz dich hin«, sagte er und rückte den Stuhl neben ihr vor, damit sie sich hinsetzen konnte. Sie ließ sich fast schon erleichtert auf den Stuhl sinken.

Mia schaute ihn an und versuchte krampfhaft zu lächeln und sich die Nervosität nicht anmerken zu lassen.

»Es ist alles in Ordnung. Ich bin wohl nur etwas unterzuckert«, entgegnete sie mit einem ernsten Blick und versuchte sich selbst davon zu überzeugen, dass ihr plötzlich aufgekommenes Schwindelgefühl an einer Unterzuckerung liegen musste. Sie war über die Fürsorge von Caspar nicht gerade begeistert.

»Dann trink hiervon, das hilft«, meinte er sanft, hielt ihr einen Becher mit Limonade entgegen und setzte sich auf den freien Stuhl neben ihr.

Sie nahm den Becher entgegen, trank die wohltuende Limonade und spürte, wie mit jedem Schluck ihr Kreislauf wieder stabiler wurde.

»Bitte entschuldige, dass mein kleiner Bruder sich einfach so zu euch gesellt hat. Er hat heute einen Roboter erhalten und muss ihn jetzt natürlich allen vorführen«, sagte Caspar verlegen.

Sie antwortete nicht. Sie schaute zu Gabriel und Leo. Die beiden waren in ihr Spiel mit dem Roboter vertieft. Das Essen stand nicht angerührt vor ihnen. Caspar folgte Mias Blick. »Da haben sich wohl zwei gefunden«, meinte er und fügte scherzend hinzu: »Dann bleibt vom Essen mehr für uns, wenn die beiden lieber spielen.«

Mia, immer noch verwirrt über das unerwartete Erscheinen von Caspar, fragte ihn leicht zynisch und mit Blick auf die leere Tischseite vor ihm: »Wo habt ihr denn euer Essen?«

»Hier«, antwortete er galant, erhob sich vom Stuhl und zauberte wie aus dem Nichts ein Tablett voller Burger hervor.

»Wo kommt das denn so plötzlich her?«, ihr verschlug es fast die Sprache.

»Ich habe das Tablett auf den leeren Sessel hinter dir gestellt, als ich dir den Stuhl vorgerückt habe. Oder hätte ich dich, so bleichgesichtig wie du warst, einfach stehen lassen sollen?« Caspar zauberte ein schiefes Lächeln auf sein Gesicht, griff nach einem der Burger und biss herzhaft hinein. Kauend fuhr er fort: »Die schmecken echt lecker! In Cambelttown, wo wir bis vor kurzem gewohnt haben, gab es zwar auch ein Fast-Food-Restaurant, aber das Zeug dort schmeckte immer wie vom Vortag.«

Mia schaute ihm schweigend beim Essen zu.

»Bist du immer so wortkarg, du elfenhaftes Wesen von Avalon?«, fragte er kauend und musterte sie kritisch.

Ihre Finger strichen über die Tischkante und ein Lächeln huschte ihr über das Gesicht, als sie bemerkte, dass er sich das Thema ihres Vortrages in der Deutschstunde vom Morgen offensichtlich gemerkt hatte.

»Dann hoffe ich, dass dein Freund ein Ritter der Tafelrunde ist und dich eher zum Sprechen bewegen kann als ich«, fügte Caspar leise und ironisch hinzu, um dann sogleich einen weiteren Bissen vom Burger zu nehmen.

»Ich habe keinen Freund«, murmelte Mia kleinlaut und fixierte dabei die Serviette vor ihr.

»Was hast du gesagt?« Caspar schaute ihr nun wieder direkt in die Augen. Sie konnte seinem Blick nicht standhalten und fühlte, wie ihr Herz ganz plötzlich schneller pochte. Nervös zupfte sie an der Serviette herum.

»Ihr seid also erst vor kurzem hierhergezogen? Wieso nach Kentää, gibt es nicht schönere Orte?«

»Ja, Kultainen zum Beispiel. Aber das ist ja fast bei Valmostaat, wo du wohnst, nehme ich an. Oder wohnst du in Kentää?«

Mia zuckte leicht zusammen über die unerwartete Frage nach ihrem Wohnort. »Ich werde ihm nicht sagen, wo ich wohne«, dachte sie. Dass er nach ihrem Gespräch an der Straßenbahnhaltestelle plötzlich im Jessy's auftauchte, war schon seltsam genug. Nicht dass er dann irgendwann bei ihr zu Hause erscheinen würde. »Aber das kann auch ein Zufall sein und ich übertreibe einfach gerade maßlos«, versuchte sie sich selber zu überzeugen, währenddessen sie die Ärmel ihres Pullovers über ihre Fingerspitzen zog und ihre Arme schützend vor dem Körper verschränkte.

Caspar schien ihr plötzliches Unbehagen über seine Frage bemerkt zu haben und änderte das Thema.

»Woher kommt der Name Kultainen? Das hat wohl irgendwas mit Gold zu tun, habe ich von meinem Vater erfahren.«

»Ja, der Name kommt wohl daher, dass dort schon seit ich denken kann nur reiche Leute wohnen«, antwortete sie und sah an ihren verschränkten Armen hinunter.

»Denkst du denn, dass ich reich bin?« Caspar schaute sie herausfordernd an.

»Wieso solltet ihr sonst dort wohnen?«, gab Mia, die sich nun wieder etwas sicherer fühlte, spöttisch zur Antwort und richtete ihren Blick auf Gabriel und Leonard, die immer noch vertieft in das Spiel mit dem Roboter waren.

»Mein Vater hat hier einen Job als Wasserbiologe angenommen. Scheinbar ist der Lake Kutamo sehr interessant. Meine Mutter arbeitet als Texterin und braucht einzig ihre Muse zum Schreiben. Also sind wir hierhergezogen, und bis jetzt finde ich es ganz gut, hier zu sein. Außer dass Marvengaard halt eine Insel ist und kein Land. Dafür schmecken die Burger hier vorzüglich, und wer weiß, vielleicht darf ich ja mal bei deinem Freund und den Rittern der Tafelrunde mitspielen«, fügte Caspar scherzend hinzu und lächelte sie an.

»Biologe und Texterin. Das klingt gut. Was möchtest du den später mal machen?«

Caspar lehnte sich leicht nach vorne. Sein Gesicht war nun ganz dicht an ihrem. Seine plötzliche Nähe machte sie nervös und ein angenehmer Schauer durchfuhr ihren Körper.

»Ich weiß es nicht, sag du es mir«, er schaute sie an und sein Gesicht wirkte nun bekümmert und voller Sorge.

Sie kannte diesen Ausdruck. Sie fühlte ganz plötzlich, was er fühlte. Ohne ein weiteres Wort. Das Gefühl war eine Form der Angst. Und auch wenn es keine logische Erklärung hierfür gab, wusste sie tief in ihrem Innern, dass seine Angst denselben Ursprung hatte wie die ihre. Und obschon dieses Wissen in ihrem Kopf keinen Sinn ergab, fühlte sie eine undefinierbare und zugleich schon lang existierende Wahrheit in diesem plötzlich aufgekommenen Gefühl. Sie atmete tief ein und versuchte sich zu sammeln.

»Also, ich möchte mal Ärztin werden«, meinte sie nun, um das Gespräch wieder aufzunehmen und es auf eine andere Ebene zu bringen.

»Interessant«, murmelte Caspar und lehnte sich wieder zurück. »Wieso möchtest du Ärztin werden?«, fragte er und taxierte sie mit einem sanften Blick.

»Ich möchte den Menschen helfen. Für sie da sein. Ich will Leben retten. Es klingt komisch, aber manchmal habe ich das Gefühl, als hätte ich etwas wiedergutzumachen.«

Caspar schaute betroffen zu Boden und sagte kaum hörbar: »Ich kenne dieses Gefühl.«

Mia schaute ihn nun nachdenklich an und war erstaunt darüber, dass sie sich bei ihm so sicher fühlte und ihm Teile ihrer Gedankenwelt anvertrauen konnte, obschon sie ihn ja gar nicht richtig kannte.

»Aber ich habe ja noch fast zwei Jahre Zeit. Ich bin ja erst in der achten Klasse in dieser langweiligen Schule.«

»Dann habe ich ja ein Jahr mehr auf dem Buckel. Ich bin in der Neunten«, sagte Caspar und lächelte sie an.

»Dann bist du siebzehn Jahre alt?«, fragte sie schüchtern.

»Ja, ich bin siebzehn. Und du?«

»Sechzehn«, antwortete sie leise.

»Schau mal, Mia, der Roboter kann seinen Kopf drehen.« Gabriel hielt den wundersamen Roboter in die Luft, drückte auf einen Knopf und präsentierte, wie die kleine Maschine den Kopf ringsherum drehte.

Mia und Caspar mussten lachen.

»Das ist toll, Gabriel. Aber bitte iss jetzt mal etwas.«

Gabriel legte den Roboter leicht enttäuscht beiseite und griff sich einen der Burger, die unterdessen kalt geworden waren.

»Leo, du solltest auch etwas essen«, meinte Caspar und sah seinen kleinen Bruder ernst an.

Mia nahm nun auch einen Hamburger und biss genüsslich hinein. Es fühlte sich gut an, etwas zu essen.

Sie musterte Caspar. Seine Körperhaltung schien sehr kontrolliert zu sein. Seine Kleidung war, im Gegensatz zum Morgen in der Schule, auffallend geschmackvoll kombiniert. Er trug einen hellblauen Strickpullover, der seine karamellfarbenen Augen wundervoll betonte, blaue Jeans und schwarze Turnschuhe.

Wenn er lachte, schien sein ganzes Wesen zu leuchten. Erst jetzt bemerkte sie, wie schön er war. Bis zu diesem Moment war ihr das noch nicht aufgefallen. Es war aber auch nicht relevant, weil es etwas Anderes an seinem Wesen war, das Mia wie ein sehr starker Magnet zu ihm hinzog. Etwas, das nichts mit Äußerlichkeiten zu tun hatte. Sie fühlte auch keine Schmetterlinge im Bauch, wenn sie in seiner Nähe war. Ein viel mächtigeres Gefühl ergriff sie in seiner Gegenwart. Ein Gefühl der Unvollkommenheit, würde sie nicht mehr in seiner Nähe sein können. Etwas, von dem sie zuvor nicht gewusst hatte, dass sie es vermissen würde, ehe es in ihr Leben getreten war. Was es auch war, es war mächtig.

»Hey!«, Caspar riss Mia unsanft aus ihren Gedanken. »Lustig, dass du Ärztin werden möchtest, ich sollte nämlich mal zu einem Arzt gehen, glaube ich.« Er wirkte plötzlich etwas unsicher und versuchte seine Verlegenheit mit einem Lächeln zu verbergen.

»Wieso, was fehlt dir denn?«, fragte sie ihn.

»Ich hatte heute, als ich in der Schule war, ganz plötzlich ein starkes Ziehen in der Brust. Ein richtiges Stechen im Herzen. Und dann nochmals kurz nach unserem Gespräch an der Straßenbahnhaltestelle«, Caspar fuhr sich nachdenklich über die Stirn. »Aber jetzt ist es ja wieder weg – wahrscheinlich kommt es auch gar nicht mehr.«

Sie fand seine Ehrlichkeit irgendwie süß. Schließlich wirkte er nicht wie ein Hypochonder auf sie.

»Es kann ein Nerv sein«, gab sie zur Antwort und wunderte sich für einen kurzen Moment darüber, dass sie nicht die Einzige war, die heute ganz plötzlich ein schmerzendes Stechen in der Brust gefühlt hatte.

»Darf ich noch einen Donut essen?«, quengelte Leonard.

»Hier.« Caspar zog einen braunen Geldbeutel aus seiner schwarzen Jacke, die er über den Stuhl gehängt hatte, und drückte ihn Leonard in die Hand.

»Holt doch gleich vier Donuts für uns alle.«

Die Jungs jubelten und liefen so freudig davon, als hätte man ihnen den Weg ins Schlaraffenland gewiesen.

»Die sind glücklicherweise noch schnell zufriedenzustellen«, stellte Mia erfreut fest.

Caspar grinste sie an. »Fühlst du dich besser?«, fragte er.

»Ja«, gab sie zur Antwort, »aber nach dem Donut sollten Gabriel und ich langsam nach Hause. Nicht, dass unsere Mutter sich noch Sorgen macht.« In dem Moment, als sie das sagte, fühlte sie wieder dieses komische Ziehen in der Brust.

»Ja, sicher«, gab Caspar zur Antwort und sein Gesicht schien plötzlich wieder bekümmert. »Wir werden euch begleiten, nicht dass ihr alleine in der Dunkelheit nach Hause gehen müsst.«

Normalerweise hätte sie ein solches Angebot abgelehnt, aber in diesem Moment war sie nur froh, dadurch noch etwas mehr Zeit mit Caspar zu gewinnen.

WIE ELEKTRISIERT

Mia zog den Mantel noch dichter an ihren Körper, um sich vor der Kälte zu schützen, und schaute Caspar an.

Jetzt, wo sie nebeneinander herliefen, stellte sie fest, dass er mindestens einen ganzen Kopf grösser war als sie selbst.

Gabriel und Leonard schlenderten vor ihnen her und diskutierten über den Roboter.

»Ich wollte mich noch bei dir entschuldigen.«

»Wofür?«, fragte Mia.

»Ich habe wohl heute deinen Vortrag gestört«, gab Caspar zur Antwort.

»Das ist nicht weiter schlimm. Ehrlich gesagt, war ich froh darüber. So hast du mir unbeabsichtigt eine kleine Pause verschafft.«

Sie sah zu ihm auf und lächelte ihn an.

»Aber was hast du gewollt?«

»Nichts, ich habe mich im Klassenzimmer geirrt«, entgegnete Caspar und fügte fragend hinzu: »Wieso ›Die Nebel von Avalon‹?«

Mia verschränkte die Arme und überlegte sich, weshalb er sich für ihren Vortrag interessierte. Und weshalb er sich das Thema ihres Vortrages gemerkt hatte.

»Mich fasziniert die Geschichte«, antwortete sie und lief etwas langsamer.

»Was fasziniert dich daran?«, fragte er weiter.

»Wieso fragst du mich das?«

»Ich möchte einfach wissen, was dich interessiert und weshalb.«

Diese Antwort hatte sie nicht erwartet. Erstaunt über seine entwaffnende Ehrlichkeit, lief sie einen Moment lang schweigend neben ihm her.

Die Straße führte nun in Richtung Wald und mündete in einen kleinen Pfad. Die Abstände zwischen den Straßenlaternen wurden größer. Mittlerweile war die Dämmerung angebrochen. Nur noch vereinzelte Sonnenstrahlen versuchten in einem täglich wiederkehrenden Naturgeschehen den Kampf gegen die unweigerlich hereinbrechende Dunkelheit zu gewinnen.

Mia suchte nach einer Antwort und konzentrierte sich dabei auf den immer spärlicher beleuchteten Weg, als sie ein heller Schrei abrupt aus ihren Gedanken riss.

»Mia!«

Sie schaute in die Richtung, aus der sie den Schrei vernommen hatte. Gabriel stand wenige Meter vor ihnen und zeigte erschrocken auf einen Abhang im Wald.

»Leo ist hinuntergefallen. Er wollte mir zeigen, wie er mit seinem Roboter fliegen kann.«

»Leo!«, rief Caspar erschrocken und rannte über die Wiese zum Abhang hin und die Böschung hinunter. Mia sah Caspar entgeistert nach.

»Halte meine Hand fest!«, befahl sie, lief zu Gabriel hin und packte ihn an der Hand. Vorsichtig lief sie mit ihm den Hang hinunter.

Der Hang war steiler, als er auf den ersten Blick schien. Sie setzte einen Fuß nach dem anderen langsam auf die rutschige Erde und hielt sich auf dem Weg nach unten mit der freien Hand an allen möglichen Bäumen und Sträuchern fest. Caspar ging eilig vor ihnen her und schlängelte sich gekonnt an allen Hindernissen vorbei.

»Leo!«, Caspar schrie abermals in die hereinbrechende Dunkelheit. Keine Antwort. Mia versuchte bei dem Tempo mitzuhalten, ohne in Gefahr zu laufen, dass sie und Gabriel auch noch hinunterrutschen könnten. Je weiter sie den Abhang hinunterstiegen, desto schwächer wurde das Licht der Straßenlaternen. Sie kniff die Augen zusammen, um in der Dunkelheit besser sehen zu können. Mia erkannte gerade noch die Umrisse der Bäume und Sträucher, merkte aber, dass es sich nur noch um wenige Meter handeln konnte, bis sie unten angelangt sein würden.

»Caspar!«, erklang die Stimme von Leo aus kurzer Entfernung. Mia hörte ein erleichtertes Ausatmen von Caspar und sah zu, wie er zu Leo eilte.

Sie warf einen Blick nach hinten zu ihrem kleinen Bruder. »Gleich haben wir es geschafft, Gabriel.«

Gabriel sah sie wortlos an und kaute konzentriert auf seiner Unterlippe. Vorsichtig nahmen sie die letzten paar Meter, bis sie endlich unten angelangt waren und sicheren Boden unter ihren Füssen spüren konnten. Dann liefen sie zu Caspar und Leo.

Caspar kniete vor Leo, der seine Hand schützend über seinen Fußknöchel hielt.

»Darf ich mir das mal ansehen?«, fragte Mia besorgt und kniete sich ebenfalls vor Leo hin. Leo nahm vorsichtig seine Hand vom Knöchel.

Sie schaute sich den Fuß an. »Es scheint nur halb so wild zu sein. Das ist eine Schramme und es hat deswegen auch etwas geblutet. Kannst du aufstehen?«, fragte sie Leo.

Er wischte sich verstohlen eine Träne aus dem Gesicht und stützte sich auf den Schultern seines Bruders ab, um besser aufstehen zu können.

»Sehr gut und jetzt versuch mal, ein paar Schritte zu gehen«, meinte sie in einem fürsorglichen Ton.

Leo setzte vorsichtig einen Fuß vor den andern.

»Es tut nur ein bisschen weh«, meinte er und rang sich zu einem Lächeln durch.

»Tapferer kleiner Mann. Dass es noch ein wenig weh tut, ist normal. Vielleicht hast du dir den Knöchel auch leicht gestaucht. Wenn ihr zu Hause seid, versuchst du, ihn etwas zu kühlen. Wenn die Schmerzen nicht nachlassen, gehst du zum Arzt, okay?«

»Mach ich«, meinte Leo etwas verlegen über die Fürsorglichkeit, die ihm entgegengebracht wurde. Zumal er Mia kaum kannte.

»Sie ist besser als unser Arzt!«, meinte Gabriel stolz.

»Danke«, flüsterte Caspar ihr zu und streifte kurz mit der Hand über ihre Schulter.

»Keine Ursache«, entgegnete sie und versuchte, sich die Nervosität über seine flüchtige Berührung nicht anmerken zu lassen.

»Aber den Roboter haben wir verloren«, sagte Leo traurig und schaute suchend in die Dämmerung des Waldes hinein.

»Seht euch das mal an!«, schrie Gabriel und zeigte auf die Lichtung vor ihnen.

Ein kleines Feld voller Mohnblumen zierte die Wiese. Inmitten der Blumen stand ein mit Gras überwachsener Stein. Auf diesem Stein wuchs eine einzelne Mohnblume. Die wenigen Lichtstrahlen verliehen der Lichtung eine magische Atmosphäre. Mia hielt den Atem an. Ihren Blick auf die Lichtung gerichtet, flüsterte sie kaum hörbar: »Ich war schon mal hier. In meinem letzten Traum.«

»Ich auch«, entgegnete Caspar so leise, dass nur Mia es hören konnte. Gebannt standen sie da. So dicht nebeneinander, dass sich ihre Hände berührten und sich die feinen Härchen auf ihren Armen wie elektrisiert aufrichteten.

»Aber weshalb haben wir das nicht schon vorher bemerkt?«, fragte sie und starrte weiter auf die Lichtung vor ihnen.

»Na ja«, antwortete Caspar leise, »wir waren mit Leos Fußknöchel beschäftigt.« Er wandte den Blick von der Lichtung ab und drehte sein Gesicht besorgt zu Leo hin, der sich immer noch an seinen Arm klammerte.

»Caspar, ich friere und mein Fuß tut weh«, jammerte Leo und zupfte fordernd an den Jackenärmeln seines Bruders.

»Ja, wir müssen langsam zurück. Allerdings müssen wir erst einmal schauen, wo wir am besten entlanglaufen, um wieder aus dem Wald zu kommen. Und Kletterübungen haben wir für heute wohl alle genug gehabt«, meinte Caspar und schaute Mia an, die fröstelnd ihre Arme vor dem Körper verschränkte und sich nachdenklich auf die Unterlippe biss.

»Ich bin zwar in der Gegend aufgewachsen, aber hier unten war ich ehrlich gesagt noch nie«, sprach sie mehr zu sich selbst und fügte kaum hörbar hinzu: »Nicht bewusst jedenfalls.«

»Na gut«, meinte Caspar, »dann halte dich weiter an meinem Arm fest, Leo. Wir gehen dann quer durch das Feld. Sieht ganz danach aus, als wäre dort hinten der Wald zu Ende. Dann sollten wir wieder auf einen Pfad gelangen. Hoffe ich zumindest.«

»Gut, dann machen wir das so«, meinte Mia und schaute zu Gabriel, der nervös auf dem Riemen seiner roten Jacke rumkaute.

»Alles gut, Gabriel?«

»Ja, ich habe einfach kalt und möchte nach Hause«, entgegnete er und schaute Mia verwirrt an.

»Gabriel, du siehst aus, als hättest du Angst. Bist du sicher, dass alles gut ist?«, hakte sie besorgt nach.

»Ja klar, alles in Ordnung. Aber können wir bitte gehen?«, meinte er und kaute noch nervöser am Riemen der Jacke.

Sie merkte, dass ihn irgendetwas verängstigt haben musste. Sie wusste aber auch, dass es keinen Sinn hatte, Gabriel weiter mit Fragen zu löchern, wenn er nicht antworten wollte.

Vorsichtig, um keinen großen Schaden an den Blumen anzurichten, liefen sie quer durch das Feld. Das Feld war größer, als es zu Anfang den Anschein gemacht hatte, und Leo musste von Caspar die letzten paar Meter getragen werden.

Erleichtert darüber, dass am Ende des Feldes tatsächlich ein schmaler Pfad auftauchte, der in Richtung des Dorfes zu führen schien, hüpfte Gabriel vor ihnen her.

»Das ist gemein. Ich kann nicht hüpfen, also hör bitte auf damit!«, schrie Leo von Caspars Schultern zum fröhlich hüpfenden Gabriel hinunter.

»Mir doch egal, Leo!«, gab Gabriel frech zur Antwort. »Aber, wenn du wieder hüpfen kannst, dann darfst du mal mit mir in unsere Hüpfburg kommen, Leo.«

»Ja, das mache ich gerne und dann zeige ich dir auch gleich, wie man richtig hüpft«, gab Leo zur Antwort. Caspar und Mia mussten lachen.

Auf einmal wurde ihr bewusst, dass sie den ganzen Abend mit Caspar verbracht hatte und nun auch noch in der Abenddämmerung mit ihm einen Feldweg entlanglief. Das Zuhause suchend. Und doch fühlte es sich an, so dicht neben ihm, als wäre sie schon lange angekommen. Ein Gefühl, das ihr eigentlich hätte Angst machen müssen. Aber in seiner Gegenwart fühlte sie sich so vollkommen. Sie fühlte sich sicher. Es schien, als würden sich alle Probleme allein durch seine Anwesenheit in ein großes Nichts verlieren. Sie wünschte sich, dieses Gefühl der Ganzheit und der Sicherheit bis ans Ende ihres Lebens spüren zu können.

Eine ganze Weile gingen sie schweigend nebeneinander her. Ihre Schritte waren aufeinander abgestimmt und als Mia sich einzig auf die Geräusche um sich herum konzentrierte, konnte sie kaum hörbar, aber deutlich wahrnehmen, dass sogar ihr Atem im Einklang war.

Der Pfad mündete in eine breite, geteerte Straße. »Ich glaube, wir sind auf dem richtigen Weg«, meinte Caspar.

»Oh, da vorne ist ja schon unser Haus!«, rief Gabriel sichtlich entzückt.

»Wir werden euch noch bis zur Türe begleiten. Wäre ja schrecklich, wenn auf den letzten paar Metern noch etwas passieren würde«, sagte Caspar und schaute Mia an.

Im dämmrigen orangefarbenen Licht der Straßenlaternen konnte sie ein Lächeln über sein Gesicht huschen sehen. »*Er ist das Schönste, was ich je gesehen habe. Er ist perfekt*«, dachte sie sich. Als ihr bewusst wurde, dass sie neben ihm herging und ihn anstarrte, spürte sie das Blut in ihren Kopf schießen. Glücklicherweise würde er, auch wenn er sie jetzt ansähe, die Röte in ihrem Gesicht nicht ausmachen können.

Sie standen nun kurz vor der Türschwelle.

»Danke fürs nach Hause begleiten«, murmelte sie verlegen und schaute zu Boden.

»Es war mir ein Vergnügen«, gab Caspar zur Antwort. »Wenn es mit dir immer so spannend ist, dann werde ich dich gerne wieder einmal vor einer Unterzuckerung retten und nach Hause bringen«, fügte er hinzu. Er beugte sich leicht zu ihr hinunter. Sein Gesicht war nur wenige Zentimeter von ihrem entfernt. Mias Herzschlag setzte aus.

»Bis bald hoffentlich.« Er hauchte ihr einen feinen Kuss auf die Wange, ohne sie jedoch wirklich zu berühren, währenddessen seine Hand flüchtig über ihre Hand strich. Sie lächelte, drehte sich um und stolperte verwirrt hinter Gabriel die Treppen hinauf.

»Mia, ich habe keinen Schlüssel«, quengelte Gabriel nervös. Mit wackeligen Beinen und leicht benommen schloss Mia, ohne einen Blick in Richtung Caspar zu werfen, die Tür auf.

Sie ließ die Tür ins Schloss fallen und drehte den Schlüssel zweimal im Schloss herum.

Luft. Sie brauchte Luft.

»Hey, meine Lieben, ihr seht ja richtig mitgenommen aus. Wo kommt ihr denn her?«

Sharon stand in einem schwarzen Hosenanzug und einem weißen Hemd am Türrahmen der Küche gelehnt vor ihnen. Ihr blondes lockiges Haar hatte sie mit einem Kugelschreiber zu einem Wirrwarr hochgesteckt. In der Hand hielt sie eine dampfende Tasse Tee. Sie lächelte, aber die Schatten unter ihren dichten Wimpern offenbarten ihre Müdigkeit.

»Ich war mit Gabriel noch Hamburger essen«, gab Mia ihrer Mutter zur Antwort.

Gabriel saß vor ihr im Korridor und versuchte, in mühseliger Arbeit, die Schuhe von seinen Füssen zu bringen.

»War echt lecker, Mama. Du musst das nächste Mal mitkommen«, sagte Gabriel und riss sich mit einem kräftigen Ruck den linken Schuh vom Fuß.

Der Schuh flog in hohem Bogen davon. Mia schaute leicht verwirrt dem Schuh nach, rieb sich mit den Fingern die Augen und sagte: »Ich geh schlafen, Mama.«

»Keinen Gutenachttee mehr?«, fragte Sharon liebevoll.

»Nein, Mama«, gab sie müde zur Antwort und nahm die ersten paar Stufen zu ihrem Zimmer hoch, als sie Gabriel sagen hörte: »Ich glaube, die ist verliebt, Mama. Die mag nichts mehr außer verliebt sein.« Mia vernahm das helle Lachen ihrer Mutter. »Ach, so ist das?«, antwortete Sharon amüsiert.

»Ja, aber die sind komisch. Die bewegen sich gleichzeitig und wirken irgendwie wie Zwillinge. Ich möchte nie verliebt sein«, hörte Mia vor ihrer Zimmertüre angekommen ihren kleinen Bruder sagen.

Ihr huschte ein Lächeln über das Gesicht. Sie ließ sich erschöpft in ihr Bett sinken und starrte eine Weile die weiße Decke ihres Zimmers an, bis sie sich nach einigen Minuten dazu aufraffen konnte, ins Bad zu gehen, um zu duschen.

BIS ANS ENDE DER TAGE

Das warme Wasser lief wohltuend an ihr herunter und wirkte erholend auf ihren verspannten Körper. Eine ganze Weile stand sie einfach nur da und genoss das Gefühl des belebenden Wassers auf ihrer Haut. Erst als ihre Finger schrumpelig wurden, drehte sie den Hahn ab und verließ die Dusche.

Sie trocknete ihren Körper ab und zog sich ihre Pyjamahose und ihr Schlafshirt an. Ihr noch halbwegs nasses Haar flocht sie gekonnt zu einem Zopf und steckte ihn anschließend mit einer Haarnadel hoch, damit ihr Nacken trocken blieb. Ihr Blick wanderte zu ihrem Spiegelbild. Sie wirkte blass und erschöpft. Sie sah sich nun direkt an. Irgendetwas in ihren Augen schien anders zu sein. Sie hielt ihr Gesicht nun ganz nahe an die reflektierende Fläche. Da waren zwei kleine, leuchtende Punkte in ihren haselnussbraunen Augen. Mia war verdutzt. Wieso hatte sie plötzlich dieses Leuchten in ihren Augen? Sie schaute gebannt in den Spiegel.

»Störe ich dich?« Sie zuckte zusammen, als sie hinter sich die Stimme von Gabriel vernahm. »Nein, du störst nicht«, gab sie zur Antwort und drehte sich zu ihrem Bruder um, der im Schlafanzug vor ihr stand.

Gabriel holte tief Luft, schaute sie verängstigt an und fragte: »Gibt es den Ghul?«

»Den Ghul? Was ist das denn bitte schön?«, fragte Mia und schaute ihren kleinen Bruder fragend an.

»Es war heute ein graues Tier auf der Lichtung. Ein riesiges Pferd mit einem Hundegesicht. Sah aus wie der Ghul aus meinem Comic. Und er hat uns beobachtet, Mia«, murmelte Gabriel.

»Bist du dir sicher, dass das nicht einfach ein Pferd oder ein Hund war?«, meinte sie und versuchte krampfhaft zu lächeln, um ihrem Bruder und vor allen Dingen sich selbst das plötzlich aufgekommene Gefühl von Angst zu nehmen.

»Na hör mal!«, sagte Gabriel nun ernst: »Ich bin wohl alt genug, um einen Hund von einem Pferd unterscheiden zu können. Und dieses Ding war beides!«

»Gabriel, das war einfach irgendein harmloses Tier. Da bin ich mir sicher. Ich gehe jetzt schlafen. Mach dir bitte nicht so komische Gedanken«, sagte Mia und ging an ihm vorbei aus dem Bad.

»Und noch etwas«, sie drehte sich zu Gabriel um und schaute ihm ernst in die Augen: »Ein Tier, auch wenn es der Ghul aus deinem Comic war, hätte wohl Besseres zu tun, als uns zu beobachten.«

»Nicht, wenn es uns töten will«, gab Gabriel leise zur Antwort und schlurfte mit gesenktem Kopf in sein Zimmer.

Mia lag hellwach und mit offenen Augen in ihrem Bett. Sie hatte sich in drei Decken eingehüllt und ihr war trotzdem kalt. Fröstelnd schlang sie ihre Arme um ihren Körper. Ihre Gedanken wanderten zu Caspar. Seit sie ihn gesehen hatte, konnte sie nicht aufhören, an ihn zu denken. An sein schiefes Lächeln und an seine wundervoll karamellfarbenen Augen. An die Art, wie er sie ansah. An seine elektrisierenden Berührungen. Wie er sich anmutig bewegte und es irgendwie schaffte, manchmal zur selben Zeit die gleiche Bewegung zu machen wie sie. Er gab ihr das Gefühl, sie ohne Worte zu verstehen und angekommen zu sein.

Langsam breitete sich eine angenehme, wohlige Wärme in ihrem Körper aus und ihre Augenlider schlossen sich. Sie sank verliebt in den Schlaf.

In ihrem Traum lief sie barfuß in einem weißen Kleid auf die Lichtung mit den Mohnblumen.

Die Blumen leuchteten hellrot und bewegten ihre kleinen Köpfe langsam im Wind.

Sie hob den Kopf zum strahlend blauen Himmel, schloss die Augen und drehte sich im Kreis. Die Sonnenstrahlen kitzelten ihre Nase. Sie hielt die Augen immer noch geschlossen und lächelte. Eine Melodie, die sie schöner noch nie gehört hatte, drang kaum wahrnehmbar in ihre Ohren. Ihre Bewegungen verschmolzen im Takt mit dem unbekannten Lied. Unter ihren tanzenden Füssen spürte sie weiches, warmes Moos. Eine Hand strich zärtlich durch ihr Haar. Sie stoppte mitten in der Bewegung, drehte sich um und sah in die schönsten Augen, die sie je gesehen hatte. Sie sah in die Augen von Caspar. Sie schienen wie flüssiges Karamell im Licht der Sonne. Er lächelte sie an, zog sie zu sich hin. Ihr Kopf ruhte sanft an seiner starken Schulter. Sie konnte seinen beruhigenden Herzschlag an ihrer Brust spüren. »*So muss sich die reinste Form von Glück anfühlen*«, dachte sie sich, hob ihren Kopf und sah ihm direkt in die Augen. »Mia, meine Mia«, sagte er liebevoll und sah sie dann plötzlich ernst und erschrocken an. »Aurora?«, fragte er ganz verwundert und sein Blick wurde wehmütig.

»Aurora, versprichst du mir, deinen Herzschlag bis ans Ende meiner Tage spüren zu dürfen?« Die letzten paar Worte drangen kaum noch hörbar aus seinem Mund.

»Ich heiße nicht Aurora«, sagte Mia und blickte ihn verwundert an.

Eine Träne lief silbern leuchtend über seine linke Wange. Seine Lippen bebten. So als wollte er ihr noch etwas sagen, aber die Kraft seiner Stimme versagte. Sein Körper schien sich langsam aufzulösen.

Mia strich sanft über seine Wangen. Tränen liefen ihr über das Gesicht, als sie fühlte, dass ihre Hand plötzlich ins Leere griff. Verzweifelt blickte sie zu dem Ort, an dem Caspar eben noch gestanden hatte.

Ihr Herz fühlte sich an, als würde es in zwei Teile zerbrechen. Peitschende Stiche jagten durch ihre Brust. Durch den Schleier aus Tränen nahm sie verschwommen die Gestalt eines großen Pferdes mit einem Hundekopf wahr. Das graue und beängstigend große Tier stand am Waldrand und beobachtete sie. Es fixierte ihren Blick und knurrte sie an. Sein Knurren klang nicht böse, sondern hasserfüllt.

»Was willst du von mir!«, schrie Mia aufgebracht in Richtung Tier. »Wer bist du?«, hakte sie fragend nach und schaute ihm herausfordernd in die Augen. Wie als Antwort auf ihre Frage duckte sich das Tier so, als würde es gleich zum Sprung ansetzen und über sie herfallen.

Sie schrie und erwachte in Tränen aufgelöst in ihrem Bett.

Verwirrt setzte sie sich auf und sah gedankenverloren und müde von der kräftezehrenden Nacht aus dem Fenster.

Draußen begrüßte das Morgenlicht den Tag. Erste Sonnenstrahlen kämpften sich durch ein graues Nebeltuch.

Sie fröstelte und zog ihre Bettdecke bis zum Kinn. Die Beine hatte sie angewinkelt und ihre Arme verschränkt. Sie wippte langsam hin und her im Takt einer Melodie, als sie plötzlich erstarrte.

Das war das wundervolle Lied aus ihrem Traum. Sie hatte getanzt und Caspar war bei ihr gewesen. Doch dann tauchte das graue Tier auf. Das Pferd mit dem Hundegesicht – es war bereits die zweite Nacht in Folge in ihren Träumen erschienen. Beide Male hatte es sie beobachtet.

Sie rieb sich die Müdigkeit aus den Augen und blinzelte auf das Zifferblatt des Weckers. Wenn sie jetzt aufstehen würde, dann hätte sie genügend Zeit, um sich einen Kaffee zu machen und ein Brötchen zu essen. Essen würde ihrem übermüdeten Körper guttun.

Sie senkte den Kopf auf die Knie. Sie mochte gar nicht aufstehen. Am liebsten würde sie nochmals schlafen. Sie ging im Kopf eine Pro- und Contra-Liste durch. Was würde für das Aufstehen sprechen? Was für das Liegenbleiben? Die Pluspunkte fürs Liegenbleiben waren natürlich leicht auszumachen.

Doch einfach weiterschlafen und einen Tag die Schule zu schwänzen würde wohl einige Unannehmlichkeiten mit sich bringen. Und vielleicht würde sie ja Caspar dort sehen. Sie lächelte. Schlagartig wurde ihr Körper von einer angenehmen, treibenden Energie durchströmt. Sie riss die drei Bettdecken schwungvoll von ihrem Körper, streifte sich ihre Pyjamahose und ihr Schlafshirt ab und schlüpfte in ihre Lieblingsjeans, die sie am Abend zuvor achtlos auf den Stuhl vor ihrem Bett geworfen hatte. Dann öffnete sie die Schranktür und griff nach einer gelben Bluse mit langen Ärmeln und einem eleganten V-Ausschnitt. Sie zog sich das Oberteil an, knöpfte es zu und ging ins Bad.

Als sie in den Spiegel sah, stellte sie erleichtert fest, dass ihr die alptraumreiche Nacht weniger anzusehen war als erwartet. Das leuchtende Gelb der Bluse zauberte Farbe in ihr bleiches Gesicht. Sie putzte sich die Zähne und ließ ihr blondes Haar, das sich über Nacht durch den Zopf gewellt hatte, offen über die Schultern fallen. Als sie auf dem Badezimmerregal Sharons Schminketui stehen sah, entschied sie sich kurzerhand, ihre Augen mit Wimperntusche zu betonen. Ein letzter Blick in den Spiegel zauberte Mia ein Lächeln ins Gesicht. Die beiden kräftezehrenden Nächte waren ihr nicht mehr anzumerken. In eiligem Tempo lief sie in ihr Zimmer, kramte ihre Schulsachen zusammen, rannte die Treppen hinunter und rief »Ich bin dann mal weg!« in die Küche.

»Tschüss, Mia!«, rief Gabriel, der in seinem Pyjama vor einer großen Schüssel Cornflakes alleine am Küchentisch saß. Mia ließ die Tür hinter sich ins Schloss fallen, um diese gleich darauf nochmals zu öffnen und eine Jeansjacke von der Garderobe zu nehmen und ihrem Bruder zu sagen: »Kleiner Mann, in einer Stunde hast du Sportunterricht. Also mach dich nach dem Frühstück für die Schule bereit!«

DIE VEREINIGUNG DER ZWEIHEIT

Mia! Hallo!« Lea rannte ihr quer über den Schulhof entgegen. Sie trug ein hellblaues Kleid, eine kurze schwarze Strickjacke, schwarze Strümpfe und schwarze Stiefel deren Absatzhöhe Mia schon beim Hinsehen Schmerzen in den Beinen verursachte. In ihren Händen hielt sie zwei Pappbecher.

»Überraschung! Kaffee am Morgen vertreibt Kummer und Sorgen. Und verhilft mir neuerdings sogar zu einem Date«, sagte Lea gutgelaunt. »Ich würde dich ja gerne umarmen, aber wie du siehst, habe ich beide Hände voll zu tun. Also befrei mich bitte.«

Mia nahm Lea einen Pappbecher mit dem herrlich duftenden Kaffee aus der Hand.

»Danke. Die Überraschung ist dir ja gelungen«, sagte Mia, küsste ihre Freundin auf die Wange und fügte hinzu: »Dann erzähl mal, wem ich deine gute Laune zu verdanken hab.«

»Du erinnerst dich bestimmt an Dirk von gestern aus dem In-Style. Ich war heute dort, um uns Kaffee zu holen als Entschuldigung. Gestern am Telefon war ich ja nicht gerade einfühlsam zu dir.«

Mia lächelte ihre Freundin an: »Schon gut. Man kann nicht immer einfühlsam sein.«

»Dann bist du mir nicht böse?«

»Natürlich nicht, Lea. Ich habe ja jetzt einen Kaffee.« Sie hob den Pappbecher in die Höhe und schmunzelte: »Aber jetzt erzähl bitte, was mit Dirk war«, fügte sie ungeduldig hinzu.

»Morgen ist ja das Lampionfest am Lake Kutamo. Und Dirk hat mich gefragt, ob ich mit ihm hingehen möchte. Ich habe ihm zugesagt«, erzählte Lea freudig und in einer Tonlage, die mindestens eine Oktave höher war als ihre normale Stimme.

»Das ist ja super, Lea! Bist du schon nervös?«

»Nein, nach der Geschichte mit Björn möchte ich nicht gleich zu viel Gefühl in eine Sache investieren«, gab Lea zur Antwort und sah gedankenverloren zu Boden. »Aber ...«, fügte sie hinzu, um dann bittend fortzufahren: »Du musst auch kommen. Wir müssen dir nur noch ein Date besorgen. Dann können wir zu viert an das Fest gehen. Das wird bestimmt toll!«

»Nein, Lea. Lass gut sein. Ich bleibe lieber zu Hause. Mir ist im Moment nicht nach großen Feiern zumute.«

»Komm schon, das wird super. Frag doch diesen Caspar, ob er Lust hat mitzukommen?«

Als Mia den Namen Caspar hörte, beschleunigte sich ihr Herzschlag für einen kurzen Moment und sie spürte eine unangenehme Wärme im Gesicht.

»Meine Tomate!«, lachte Lea. »Dann bist du dabei?«

»Hör zu, ich werde vielleicht kurz mit Gabriel vorbeikommen. Vorausgesetzt, er hat Lust darauf. Okay?«

»Spielverderberin«, murmelte Lea sichtlich enttäuscht vor sich hin.

»Überredet, Lea. Ich komme hin. Aber einfach nur kurz.«

»Na, ihr zwei Hübschen!«, ertönte es hinter ihnen.

Ben legte seine Arme um Mia und Lea und lächelte beide an. »Ich bin wieder gesund!«

»Wie toll, Ben!«, gab Lea zur Antwort. »Ich habe mit Mia gerade über das Lampionfest gesprochen.«

Sie liefen zu dritt über den Schulhof Richtung Haupteingang.

»Stimmt, das ist ja schon morgen. Hätte ich fast vergessen. Da gehen wir natürlich hin, oder?«, sagte Ben und schaute Mia und Lea fragend an.

»Ja, aber Mia hat nicht so große Lust. Ich würde mit Dirk kommen«, sagte Lea an Ben gerichtet.

»Dirk, der Typ, der im In-Style arbeitet?«, fragte Ben.

»Ja, genau der«, antwortete Lea.

»Das lassen wir uns doch nicht entgehen, Mia!«, sagte Ben lachend.

Unterdessen waren sie fast beim Haupttor der Schule angelangt. Auf einer der beiden Seitenmauern des Haupteingangs saßen ein paar Schüler und diskutierten angeregt miteinander.

Mia spürte plötzlich eine Wärme, die in jede Pore ihres Körpers drang. Sie fühlte sich auf einmal unendlich glücklich, lächelte und sah in die Richtung der Schüler auf der Mauer. Sie spürte einen angenehmen Schauer über ihren Körper gleiten, als sie Caspar erblickte. Er schaute sie an und lächelte ebenfalls. Gerade als er aufstehen wollte, um, wie es schien, ihr Hallo zu sagen, rief Ben in einer für den ganzen Schulhof unüberhörbaren Lautstärke: »Dann werde ich mit dir ans Lampionfest gehen, Mia!«

Mia sah, wie das Lächeln auf Caspars Lippen schlagartig verschwand. Sie erstarrte und schaute perplex zu Ben.

»Ich muss jetzt aber dringend los, Mädels. Bis später«, sagte Ben, wuschelte Mia durchs Haar und verschwand ohne ein weiteres Wort.

»Das sind ja Neuigkeiten!«, rief Lars, der lässig an die Seitenmauer des Hauptgebäudes angelehnt stand.

»Da wird Ritter Sven aber traurig sein, wenn du mit Ben statt mit ihm zu dem Fest gehen wirst«, fügte er hinzu und lachte hämisch.

Mia war immer noch wie erstarrt. Die linke Seite ihres Brustkorbs schmerzte wieder. Sie griff mit der rechten Hand an ihr Herz und versuchte, den plötzlichen Schmerz mit kreisenden Bewegungen zu lindern. Als sie aufschaute, konnte sie gerade noch sehen, wie Caspar wütend an Lars vorbeiging. Er schien es plötzlich sehr eilig zu haben. Mia schaute ihm fassungslos hinterher. Sie presste wütend ihre Lippen zusammen, schüttelte den Kopf und bedachte Lars mit einem bösen Blick.

Die Schulstunden zogen langsam an Mia vorbei. In der vorletzten Stunde des Tages hatte sie bei Professor Lovgreen Chemie. Sie zog sich mit ihrem Lehrbuch an das hinterste Pult zurück.

Da Sven krank war und Professor Lovgreen die Schüler für die nächste Prüfung üben ließ, konnte sie ungestört das Periodensystem zum wiederholten Male lernen. Ihre Gedanken schweiften immer wieder ab. Sie lehnte sich zurück und schaute verträumt aus dem Fenster. Die Ärmel ihrer gelben Bluse zog sie schützend über ihre Fingerspitzen und verschränkte die Arme.

Ihre Gedanken drehten sich immer wieder um dieselben Bilder. Sie seufzte auf. *»Wieso hatte Caspar es plötzlich so eilig gehabt? Weshalb sollte es ihn stören, wenn ich mit Ben an das Lampionfest gehe?«*

Mia dachte nach und drehte sich eine Locke in ihr blondes Haar. *»Was bilde ich mir ein? Er könnte tausend Gründe gehabt haben, um so plötzlich zu verschwinden. Aber wohl kaum meinetwegen.«*

Erst das Klingeln der Schulglocke vermochte es, sie aus ihren Gedanken zu reißen. Sie packte ihre Sachen zusammen und verließ das Schulzimmer in einem Eiltempo. Vielleicht würde sie es schaffen, Caspar noch kurz zu sehen. Nur, um ihm ein Lächeln zu schenken.

Eilig lief sie die Marmorstufen hinab und ging zum Innenhof der Schule. Von weitem sah sie Lea und Ben auf einer Bank. Die beiden schienen in ein Gespräch vertieft zu sein. Als Mia zu ihnen herantrat, hoben sie ihre Köpfe und verstummten abrupt.

»Na, ihr zwei? Immer noch beim Thema Lampionfest hängengeblieben?«, scherzte Mia und lachte. »So gefällst du mir doch schon viel besser«, meinte Ben mit ernster Miene, stand auf und legte seinen linken Arm um sie.

»Na, Chemie überlebt?« Lea stand ebenfalls auf.

»Ja klar, Sven war krank. Soll heißen, Chemie war heute Entspannung pur«, entgegnete sie und lächelte Lea an. Lea reagierte nicht. Sie blickte an Mia vorbei. Mia drehte sich um und erstarrte mitten in der Bewegung.

Caspar stand an die Mauer des Schulgeländes gelehnt und fixierte sie mit seinen karamellfarbenen Augen und einem ernsten Gesichtsausdruck. Mit seinen Bluejeans, seinem roten Pullover und seiner vergilbten Lederjacke sah er für sie aus wie ein Engel. Ein Engel, der durch seinen Fall nichts an optischer Schönheit eingebüßt hatte. Nicht einmal sein ernstes Gesicht konnte seiner Schönheit etwas anhaben. Mia sah ihn hypnotisiert an. Ein Lächeln huschte über ihre Lippen. Caspar entgegnete ihrem Lächeln mit einem noch ernsthafteren Blick und drehte sich um. Mit gesenktem Kopf lief er Richtung Schulgebäude. Er schien immer noch wütend auf sie zu sein. Auch wenn sie sich keinen Reim darauf machen konnte, weshalb er so reagieren sollte. Schließlich hatte es ihn nicht zu interessieren, mit wem sie an das Lampionfest ging. »Vielleicht irre ich mich einfach und er ist gar nicht sauer auf mich. Echt einfach nur eingebildet von mir, zu denken, seine Laune hätte etwas mit mir zu tun«, dachte sie sich, als Bens Worte sie abrupt aus ihren kritischen Gedanken rissen.

»Mia, was findest du an diesem komischen Kauz?«

»Was hast du gesagt?«, entgegnete Mia und schaute Ben verdutzt an.

»Vergiss es. Nicht so wichtig. Gehen wir in den Physikunterricht.«

Die drei standen auf und gingen zum Klassenzimmer im Südflügel.

Professor Valistus saß bereits an seinem alten hölzernen Lehrpult. Der kleine, hagere Mann mit schütterem grauen Haar war kaum zu sehen, denn auf dem Tisch vor ihm stapelten sich haufenweise Bücher. Er war vertieft in seine Notizen und bemerkte nicht, wie die ersten Schüler ihre Plätze einnahmen.

Mia setzte sich mit Ben und Lea auf die freien Stühle in der hintersten Tischreihe. Erst als der letzte Schüler die Türe hinter sich geschlossen hatte, schaute der Professor von seinen Notizen auf. »Schön, dass Sie alle pünktlich erschienen sind. Meine Damen und Herren, heute werde ich Ihnen einen Denkanstoß liefern. Ich bitte Sie um Ihre ungeteilte Aufmerksamkeit«, sagte er voller Enthusiasmus und gestikulierte hibbelig mit den Armen in der Luft herum. »Ich erwarte, dass Sie sich zur heutigen Lektion Gedanken machen und mir Ihre Meinung in einer Arbeit mitteilen. Unkonventionellerweise erwarte ich von Ihnen in dieser Arbeit nur etwas Bestimmtes: Ihre Meinung. Und diese so ausführlich wie möglich. Denn jeder Gedanke, den Sie sich hierzu machen werden, veranlasst Sie dazu, nachzudenken und das Lernen geschieht wie von allein«, fuhr er lächelnd fort, stand auf und stützte sich auf seinem Lehrpult ab. »Bitte nehmen Sie nun Papier und Stift zur Hand.«

Mia mochte die Art und Weise, wie Professor Valistus mit ihnen sprach. Er machte das immer sehr formell. Fast so, als wäre er in der Zeit stehen geblieben.

»Meine Damen und Herren«, sagte Professor Valistus und lief quer durch den Raum. »Diese erfrischende Physiklektion soll uns die Faszination über den Aufbau unseres Universums näherbringen. Sie alle haben sicherlich schon mal vom Urknall gehört, nehme ich an. Alles Leben, das existiert, war bereits im Urknall angelegt, als Stück unseres Universums.

Das bedeutet, dass seit Anbeginn unserer Zeit, alles mit allem vereint war. Diese uralte Verbindung könnte also auch heute noch existieren. Dann wären alle Planeten miteinander verkettet – aber auch mit unseren Sternen, unserer Sonne und zu guter Letzt: mit uns selbst. Sie können sich eine Perlenkette vorstellen. Die einzelnen Perlen dieser Kette wären dann die Quanten oder auch die Photonen. Und jetzt wird es spannend!« Professor Valistus fuhr sich aufgeregt durch die Haare.

Mia zog ihre Augenbrauen genervt nach oben und schaute Lea an, die ihr mit einem Augenrollen antwortete. Mia musste lächeln und sah zu Ben. Sichtlich interessiert kaute er auf seinem Füller und schaute den quirligen Professor gespannt an.

»Sprechen wir über die nachweisliche Telepathie der Photonen, also der Lichtteilchen. Glauben Sie an Telepathie, Mister Amström?«, der Professor schaute Ben gespannt in die Augen.

»Ich denke nicht, dass ich an so was glaube«, gab Ben zur Antwort.

»Dann wird Sie diese Lektion noch mehr zum Nachdenken anregen, mein Lieber«, antwortete Professor Valistus erfreut und lächelte. »Also, dann erkläre ich Ihnen die faszinierende Fernwirkung der Lichtteilchen. Physiker sind nämlich auf ein äußerst erstaunliches Phänomen gestoßen. Anhand spannender Experimente konnten sie feststellen, dass Lichtteilchen telepathisch Informationen miteinander austauschen. Wie konnten sie das feststellen? Ganz einfach: Man schießt Laserlicht durch einen Kristall. Hierbei ergibt sich ein Zwillingspaar Photonen. Die Vorrichtung für das Experiment bringt die beiden Teilchen dazu, in entgegengesetzter Richtung zu fliegen. Die Teilchen durchreisen ein System von halb durchlässigen Spiegeln. Die Spiegel lassen rein zufällig die Teilchen durchkommen oder eben auch nicht. Und jetzt kommt das Unglaubliche: Nach mehrmaligem Wiederholen des Experiments konnten die Physiker feststellen, dass sich jedes Teilchen genauso wie sein Zwilling verhielt. Wenn das eine durch den Spiegel ging, kam auch das andere durch; blieb das eine hängen, blieb auch das andere hängen. Nach diesem Experiment stellt sich die Frage: Wie kommt es dazu, dass die Lichtteilchen immer dasselbe tun? Die Teilchen können ja nicht in dem Sinne miteinander sprechen. Vor allem nicht, wenn sie mit Lichtgeschwindigkeit unterwegs sind. Und doch müssen die Teilchen in irgendeiner Form in gegenseitigem Austausch miteinander stehen. Kann man dieses Experiment nun auf alle Elementarteilchen ausdehnen? Wenn der Mikrokosmos in einer telepathischen Verbindung steht, könnte dasselbe auch für den Makrokosmos gelten. Da der Mensch wie alle Materie letztlich aus Quanten besteht, würde das heißen, dass auch wir zur Telepathie fähig wären. Sicherlich hat der ein oder andere von Ihnen auch schon erlebt, dass, wenn Sie an eine bestimmte Person denken, diese sie gerade in ebendem Moment anruft.«

Professor Valistus lehnte sich an das Pult und unterstrich seinen Vortrag mit begeisterten Gesten.

»Meine Damen und Herren! Somit sind dieses und ähnliche Alltagsphänomene vielleicht erklärbar. Wir können unser Gedankennetz aber noch weiterspinnen. Was wäre, wenn irgendwo da draußen ihr sogenannter Photonen-Zwilling lebt? Erstaunliche Frage!« Professor Valistus griff sich in die Haare und schüttelte den Kopf.

»Hast du irgendwas gepeilt von dem, was er erzählt hat?«, flüsterte Lea zu Mia.

»Nur was von Zwilling. Vielleicht bist du ja mein geheimer Zwilling, Lea«, flüsterte Mia zurück und lächelte. Lea machte als Antwort eine Handbewegung, die einen Luftkuss andeuten sollte.

Ben hob seinen Zeigefinger in die Höhe. »Ja, Mister Amström?«, sagte Professor Valistus und lächelte Ben an. »Das könnte folglich bedeuten, dass meine Photonen noch im Körper eines anderen Menschen sind, wenn ich das richtig verstanden habe? Würde dann aber auch heißen, dass ich nur mit diesem einen Menschen verbunden bin und auch nur zu diesem einen Menschen eine telepathische Verbindung habe? Wenn dieser Mensch dann stirbt, spüre ich das dann? Oder haben mehrere Menschen dieselben Zwillings-Photonen?«

»Spannende Fragen, Mister Amström! Spannend. Aber ich denke, es ist noch niemand so weit, ihnen auf diese Fragen korrekte Antworten zu geben.«

Professor Valistus stapelte aufgeregt zahlreiche Bücher auf seinem Lehrerpult aufeinander und fügte hinzu: »Ich habe viel Konzentration von Ihnen verlangt. Für heute machen wir Schluss. Ich fordere Sie dafür aber auf, sich nochmals in Ruhe mit diesem spannenden Thema auseinanderzusetzen und mir bis nächste Woche Ihre Arbeit hierzu abzugeben.« Dann nahm er eine große braune Tasche hervor und quetschte einige seiner vielen Bücher der Reihe nach hinein.

DIE ACHILLESFERSE DER GEISTER

Na, wenn das mal nicht der ultimative Langweiler-Stoff war«, stöhnte Lea, als sie auf den Schulhof hinaustraten.

»Ich fand es total spannend«, meinte Ben und nahm einen Kaugummi aus seiner Hosentasche. »Aber etwas ausgetrocknet fühlt sich mein Mund nach dieser trockenen Materie trotzdem an«, sagte er und schmunzelte über seinen eigenen Witz.

»Was meint ihr, wollen wir noch einen kurzen Abstecher ins In-Style machen, zur Feier des Tages?«, fragte Lea. »Schließlich haben wir mit dem frühzeitigen Ende der Lektion fast eine halbe Stunde geschenkt gekriegt, und morgen haben wir sowieso schulfrei wegen des Lampionfests.«

»Nein, ich fühle mich nicht so gut. Ich hatte nicht gerade viel Schlaf die letzten Tage. Ich gehe lieber gleich direkt nach Hause«, antwortete Mia.

»Schade. Du hättest Dirk in die Mangel nehmen können, um herauszufinden, ob er gut genug ist für mich«, scherzte Lea.

»Gerne ein anderes Mal, Lea«, meinte Mia und fuhr sich müde durchs Haar. »Ich bin heute mit dem Fahrrad gekommen, also verabschiede ich mich schon jetzt von euch. Ich muss ja in die andere Richtung«, fügte sie hinzu.

»Na, dann schlaf schön, kleine Mia, und erhol dich gut, damit du morgen fit bist für das Lampionfest«, sagte Ben und drückte ihr liebevoll einen Kuss auf die Stirn.

Mia lief hinter das Schulhaus zu den Fahrradständern. Bei den vielen Drahteseln war es immer eine Kunst, ihren eigenen zu finden. Aus diesem Grund hatte sie irgendwann eine Plastiksonnenblume am Lenkrad angebracht. Mit der gelben Blume war ihr Zweirad leichter auszumachen.

Sie öffnete das Schloss und zog das Fahrrad mit einem kräftigen Ruck aus der Halterung. Gerade als sie losfahren wollte, erklang hinter ihr eine Stimme, die ihren Herzschlag für einen Moment aussetzen ließ.

»Ist das deine?« Sie drehte sich um und sah Caspar mit ihrer Sonnenblume in der Hand. »Nicht dass du morgen ohne deine Blume ans Lampionfest musst«, fügte er hinzu und zauberte ein schiefes Lächeln auf sein Gesicht.

»Oh, die muss runtergefallen sein«, sagte Mia und spürte eine unangenehme Hitze in ihrem Gesicht.

Caspar lief langsam zu ihr hin, bis er ganz dicht vor ihr stand. Er sah ihr nun direkt in die Augen und hatte immer noch dieses schiefe Lächeln auf seinem Gesicht.

Sie hielt den Atem an. Wieder spürte sie diese unheimliche Vertrautheit. Sie erwiderte sein Lächeln schüchtern und sah verlegen zu Boden. Caspar bückte sich zum Fahrradlenker hinunter. Sie beobachtete ihn. Er sah wundervoll aus, wenn er sich konzentrierte. Er schien selbstbewusst, stark und gelassen. Als könnte ihn nichts aus der Ruhe bringen. Gewissenhaft band er die Blume an der Halterung fest und verknüpfte den Faden so gekonnt um den Lenker, dass der Knoten fast schon einem Kunstwerk gleichkam.

Er hob seinen Kopf, strich sich eine Strähne seiner vollen braunen Haare aus dem Gesicht und lächelte sie an. »Wenn du möchtest, können wir zusammen ein Stück gehen. Außer du möchtest lieber von Ben nach Hause begleitet werden?«, sagte er mit einem leicht spöttischen Unterton, der Mia unsanft aus der Rolle der Beobachterin riss.

»Nein, wir können gerne zusammen ein Stück gehen«, gab sie zur Antwort und versuchte sich die Nervosität und die Freude über sein Angebot nicht anmerken zu lassen.

»Wenn du möchtest, kannst du dich auf dein Rad setzen und ich werde lenken«, sagte Caspar fröhlich.

»Nein danke. Ich werde es lieber schieben und zu Fuß gehen. Du bist ja auch zu Fuß.«

»Ist unter Umständen auch besser, wenn du dich am Fahrrad abstützen kannst. Für den Fall, dass du wieder kurz vor einer Ohnmacht stehen solltest«, meinte Caspar neckisch und lächelte.

Eine Weile gingen sie schweigend nebeneinander her. Mia hatte das brennende Gefühl, ihn tausend Dinge zu fragen, aber sie konnte sich nicht dazu durchringen, ihm auch nur eine davon zu stellen.

Caspar unterbrach das Schweigen: »Du gehst also morgen mit Ben an das Lampionfest?«, er schaute sie interessiert an. Sein Gesicht wirkte angespannt. »Ja, ich werde mit Ben und Lea hingehen. Aber vermutlich nur kurz.«

»Dann interessierst du dich für Ben?«, fragte er weiter.

»Ben ist mein bester Freund. Und daran wird sich auch nichts ändern«, gab sie zur Antwort. Seine direkten Fragen verwirrten sie. »*Ist er etwa eifersüchtig? Wie kann er, der so perfekt ist, ein so triviales Gefühl wie Eifersucht empfinden?*«, dachte sie und hakte etwas verwirrt nach: »Wieso fragst du so was?«

»Einfach so. Ich versuche nur zu verstehen.«

»Was versuchst du zu verstehen?«

»Alles – und nichts«, sagte Caspar und lächelte sie an. Mia sah verwirrt zu Boden.

»Gibt es einen Grund, warum ihr das Lampionfest feiert?«, erkundigte er sich nach einer Weile.

Sie überlegte. Caspar verwirrte sie. Das Interesse an ihrer Person und seine Art, Dinge zu hinterfragen, verunsicherte sie auf eine angenehme Weise.

»Das Lampionfest wird schon seit der Gründung unserer Dörfer gefeiert. Die Menschen glaubten damals, dass böse Geister im Wasser nicht überleben können. Deshalb ließen sie Lampions auf dem See schwimmen, deren Lichter die Geister anlocken und ihnen somit den Tod im Wasser bringen würden. Mit den Jahren wurde der alte Brauch zu einem Fest für die Bewohner. Aber die Lampions sollen auch heute noch ihren Dienst im Sinne der Menschen machen und die Geister zurück in die Unterwelt führen.«

»Dann ist eurer Meinung nach das Wasser sozusagen die Achillesferse der Geister?«

»Was ist eine Achillesferse?«, entgegnete Mia fragend.

»Das ist nur so eine Redensart, für eine Schwachstelle. Auch gewisse Superhelden haben eine sogenannte Achillesferse und demzufolge irgendetwas, dass sie schwach werden lässt und ihrer Kräfte beraubt«, erklärte Caspar stolz.

»Oh, du liest eindeutig zu viele Comics. Du kannst dich ja mal mit Gabriel austauschen. Der ist richtig versessen auf Superhelden-Geschichten«, gab sie spöttisch zur Antwort.

Caspar lachte laut auf. Er blieb abrupt stehen, schaute ihr tief in die Augen und strich mit seinen Fingerspitzen sanft über ihre Wangen. »Du wirst noch einen Superhelden brauchen, Mia. Alleine schon wegen deiner Ohnmachtsanfälle«, flüsterte er ihr zu und hauchte ihr einen Kuss auf die Stirn.

Sie zitterte am ganzen Körper. Ihr Herz schlug bis zum Hals und ihr

Atem setzte für wenige Sekunden aus. Sie stützte sich an ihrem Fahrrad ab und spürte, wie die Kraft in ihren Beinen nachließ. Gerade noch im letzten Moment konnte Caspar sie festhalten. »Liegt das an mir, dass du dein Gleichgewicht nicht halten kannst?«

»Nein, ich hatte schon immer Probleme mit meinem Kreislauf. Das hat sicher nichts mit dir zu tun.«

Dass sie aber, seitdem sie Caspar kannte, an unberechenbaren Herzschmerzen litt und deshalb ernsthaft mit dem Gedanken spielte, deswegen vielleicht einen Arzt aufzusuchen, wollte sie ihm nicht sagen. Es musste ein Zufall sein, dass sie diese Schmerzen erst hatte, seitdem er in ihrem Leben aufgetaucht war. Sie überlegte eine Weile. »Was denke ich mir dabei? Was mache ich mir für komische Gedanken. Das Einzige, das anders ist, seit ich ihn kenne, ist, dass alles anders ist.« Sie schaute zu Boden und ging schweigend neben ihm her. Wenn er etwas in ihr auszulösen vermochte, dann das, dass sie sich in seiner Anwesenheit lebendiger fühlte als je zuvor.

»Kennst du das Gefühl, Durst zu haben, und egal wie viel du auch zu trinken vermagst, der Durst bleibt?«, fragte Caspar nach einer Weile.

»Ja«, sagte Mia und dachte bei sich: »Seit ich dich kenne.«

Sie schwiegen.

Die Sonne schien trotz der späten Nachmittagsstunde grell auf die asphaltierte Straße. Rechts von ihnen war der Wald und links befand sich eine wundervolle Wildblumenwiese mit den mannigfaltigsten Blumen in den verschiedensten, prachtvollsten und leuchtendsten Farben und Formen. Der betörende Duft, den die Blumen verströmten, löste in ihr eine tiefe Zufriedenheit aus und ein Lächeln umspielte ihren Mund. Sie liebte ihren Schulweg zwischen Kentää und Valmostaat.

»Du lächelst?«, stellte Caspar zufrieden fest und taxierte Mias Lippen genau. Sie sah ihn an. Er blieb mitten auf dem Weg stehen und stellte sich dicht vor sie. Nur das Fahrrad zwischen ihnen trennte sie.

Sie konnte den Duft seines Atems und seines Parfums riechen. Er roch noch besser, als alle Blumen des Feldes es miteinander zu tun vermochten. Sie überkam das tiefe Bedürfnis, ihn zu umarmen, ihren Kopf an seine Schultern zu legen und seinen Herzschlag zu hören, sich seinen Duft einzuprägen um ihn niemals wieder zu vergessen. Sie würde *ihn* niemals vergessen. Das wusste sie. Eine starke und wundervolle Gewissheit, die ihren Körper beruhigend durchdrang.

Caspar beugte sich leicht zu ihr hinunter. Seine Lippen waren nun ganz dicht an ihren. Mit seiner Hand fuhr er sanft über ihre errötete Wange.

»Was machst du bloß mit mir, Mia?«, liebevoll strich er ihr eine Strähne ihres blonden Haares hinter ihr Ohr. Sein Blick drang tief in ihren Körper. Sie klammerte ihre Finger fester um den Lenker ihres Fahrrades. Ein wildgewordener Schwarm von Schmetterlingen war nichts im Vergleich zu dem äußerst angenehmen und zugleich befremdlichen, kribbelnden Gefühl, das sie durchfuhr.

»*Küss mich! Bitte küss mich!*«, baten ihre Augen mit einem fast flehenden Blick und ihr Körper bebte.

Erschrocken über das plötzliche Zittern von ihr wich Caspar leicht zurück. Seine Augen glitten langsam über ihren Hals. »Du frierst ja. Du hast Gänsehaut.«

Sie strich sich verlegen ihr Haar über die Schultern nach vorne, um ihren nackten Hals zu verdecken. Als sie wieder zu ihm hochsah, bemerkte sie, dass sein Blick nun auf etwas hinter ihr, im Wald, geheftet war.

Sein Mund stand fassungslos offen und seine sonst so gelassene Haltung schien plötzlich von ihm abzufallen. Seine Augen offenbarten ungläubiges Erschrecken. Mit seiner Hand griff er nach Mias Schultern. Erschrocken sah er sie an und dann wieder in Richtung Wald. Mit einer Geschwindigkeit, die ihr den Atem stocken ließ, lief Caspar um das Fahrrad herum und stellte sich schützend und mit dem Rücken zu ihr gewandt vor sie. Stocksteif.

Mia hätte vor Schreck über seine plötzliche Aktion fast ihr Fahrrad fallen gelassen. Sie drehte sich zögerlich um, eine Hand immer noch am Fahrradlenker. Neugierig stellte sich auf die Zehenspitzen, um über seine Schultern hinweg in den Wald sehen zu können.

»Hast du das gesehen?«, fragte Caspar mit trockener Stimme. Mia, die immer noch auf den Zehenspitzen stand und ihren Kopf in die Luft reckte, um besser sehen zu können, meinte verwirrt: »Nein, ich sehe nichts«, sie stellte sich wieder auf ihre Füße.

Caspar drehte sich langsam zu ihr um. Sie schaute ihn an und fragte flüsternd: »Was hast du denn gesehen?«

In seinen karamellfarbenen Augen erkannte Mia einen kleinen Jungen. Caspar wirkte verängstigt. Er, der sonst so viel Sicherheit ausstrahlte, schien plötzlich verschreckt zu sein.

Mia strich beruhigend über seinen Arm und blickte ihn besorgt an.

»Ich weiß ja nicht«, sagte er mit einer immer noch trockenen Stimme, »aber habt ihr hier vielleicht Tiere im Wald, von deren Existenz man außerhalb eurer Dörfer nichts weiß?« Mia runzelte die Stirn über seine Frage. »Nicht dass ich wüsste«, gab sie zur Antwort. »Aber was hast du denn gesehen?«

»Ich weiß nicht. Es war ein riesiges Tier. Glaube ich zumindest. Es hat ausgesehen wie ein Pferd mit Hundekopf. Das hört sich jetzt verrückt an, aber das Tier hat wirklich so ausgesehen.« Er rieb sich verwirrt die Augen.

Ihr lief ein Schauer über den Rücken. »Gabriel hat gestern auch von einem solchen Tier gesprochen«, flüsterte sie leise.

»Es hat uns beobachtet, Mia«, sagte Caspar kaum hörbar. Er drehte seinen Kopf suchend Richtung Wald. »Es ist weg«, stellte er nach wenigen Sekunden erleichtert fest und wandte sich wieder ihr zu.

»Tut mir leid, dass ich dich erschreckt habe. Ich wollte dir keine Angst einjagen, aber so etwas habe ich noch nie gesehen.«

»Macht nichts«, gab Mia zur Antwort. Er musste ja nicht wissen, dass sie keinerlei Angst empfunden hatte, sie fühlte sich bei ihm unendlich sicher. So als könnte ihr in seiner Nähe nicht mal der Tod etwas anhaben. Eine Tatsache, die sie verwirrte. Sie fröstelte.

Caspar zog sie an sich und schlang seine Arme wärmend um ihren Körper.

»Jetzt zitterst du wegen mir. Ich wollte dich nicht erschrecken und dich erst recht nicht verängstigen.« Mia versuchte, das Frösteln zu unterdrücken, doch ihr Körper war stärker. Caspar verstärkte seine Umarmung und strich mit seiner Hand wärmend über ihren Rücken. Sie legte ihren Kopf an seine Schulter. Er vergrub sein Gesicht in ihrem Haar. Sein gleichmäßiger Atem beruhigte sie. Unwillkürlich drückte sie ihn fester an sich. Eine Ewigkeit und darüber hinaus könnte sie so, an ihn gelehnt, stehen bleiben. Ihr Zittern wich allmählich einer Entspannung. Sein Herzschlag wirkte beruhigend und verlieh ihr eine Energie, die sie zuvor noch nie gespürt hatte. Sie entspannte langsam ihre Muskeln.

Ein lautes Scheppern ertönte und riss sie unsanft aus ihrer Entspannung. Das Fahrrad lag auf dem Boden. Caspar lachte. Mia lief rot an. Sie war so entspannt gewesen, dass sie ganz vergessen hatte, das Fahrrad zu halten. Sie löste sich aus Caspars Umarmung, um das Fahrrad aufzuheben. Caspar kam ihr zuvor und stellte es in seine ursprüngliche Position zurück.

»Ich werde es den restlichen Weg für dich schieben«, sagte er mit einem breiten Grinsen im Gesicht, schüttelte den Kopf und fügte hinzu: »Kaum bin ich in deiner Nähe, passieren komische Dinge.«

Mia wurde abermals rot und wusste nicht, wie sie diese Aussage von ihm werten sollte. »*Hoffentlich hält er mich nicht für einen blöden Schussel*«, dachte sie verlegen und nervte sich über ihre ungeschickte Art.

»Wieso bist du ohne Fahrrad unterwegs?«

»Das hat keinen bestimmten Grund, ich hatte einfach Lust, zu Fuß in die Schule zu gehen«, sagte er.

Eine Weile gingen die beiden schweigend nebeneinander her.

»Ehrlich gesagt, ist mein Leben meistens langweilig. Normalerweise passiert mir nie irgendetwas Spannendes, geschweige denn Sonderbares«, sagte sie und ärgerte sich im nächsten Moment über diese Aussage. »*Noch langweiliger kann ich mich ja nicht präsentieren. Eigentlich sollte ich mich bemühen, spannend für ihn zu sein*«, dachte sie sich und zog die Ärmel ihrer Jeansjacke schützend über ihre Fingerspitzen. Das tat sie oft, wenn sie sich unwohl fühlte oder sich zu schützen versuchte.

Caspar schien ihr Unbehagen bemerkt zu haben und lächelte sie an. »Dein Leben mag dir vielleicht langweilig erscheinen. Aber du, Mia, bist alles andere als langweilig.«

Sie sah verlegen zu Boden.

»Und«, fügte Caspar hinzu, »ich werde wohl mal ein paar Nachforschungen über die Tierwelt dieser Gegend machen müssen.«

»Ich denke Gabriel und du, ihr lest einfach zu viele Comics«, sagte sie.

»Was machst du außer zur Schule zu gehen?«, fragte Caspar. »Wie meinst du das?«, entgegnete Mia.

»Du wirst ja sicher irgendeine Beschäftigung haben in deiner Freizeit.«

»Ich habe mal Ballett getanzt, bis zu meinem dreizehnten Lebensjahr. Allerdings habe ich mir dann kurz vor einer Aufführung den Fußknöchel verstaucht. Ich musste eine ganze Weile pausieren. Als ich wieder mit dem Training hätte beginnen können, habe ich aber gemerkt, dass mir das Ballett nicht mehr so zusagt. Also habe ich aufgehört damit.«

Sie liefen langsam und ins Gespräch vertieft über einen Kieselpfad, bis sie eine asphaltierte schmale Straße erreichten. Der Wald lag nun hinter ihnen.

»Dann hast du also nicht den Schwanensee getanzt?«, sagte Caspar neckisch und schenkte Mia ein schiefes Lächeln. Mia ging nicht auf seine ironische Frage ein.

»Ich lese gerne«, sagte sie und schaute auf den Asphalt, der das Sonnenlicht glitzernd reflektierte.

»Das erinnert mich daran, dass du mir noch eine Antwort schuldig bist«, stellte er fest und schaute sie siegessicher an. Sie legte ihre Stirn in Falten und schaute fragend zu ihm auf. »Du hast mir immer noch nicht verraten, weshalb du dich für einen Vortrag über ›Die Nebel von Avalon‹ entschieden hast. Schließlich kommt man nicht einfach so auf diesen Roman. Was fasziniert dich daran?«

Sie überlegte eine Weile und betrachtete währenddessen, wie die Wildblumen auf der Wiese links von ihnen ihre Köpfe langsam im Takt des Windes bewegten. Sie waren schon fast bei ihrem Zuhause angelangt. Der Gedanke daran machte sie mit einem Schlag schwermütig. Wenn sie beim Haus angekommen wären, müsste sie sich von ihm verabschieden und das wollte sie nicht. Noch nicht. Und zudem hatten sie morgen schulfrei. Also könnte es sein, dass sie ihn erst übermorgen wiedersehen würde. Als hätte Caspar ihre Gedanken mitbekommen, sagte er: »Wir könnten uns unter den Baum dort setzen«, und zeigte in das Wildblumenfeld. Ein einzelner großer Baum mit dickem Stamm stand dort. Seine weißen Blüten strahlten einladend im Licht der Sonne.

Mia, erstaunt darüber, dass Caspar ihre Gedanken belauscht hatte, biss sich verlegen auf die Unterlippe und nestelte mit ihren Fingerspitzen an den Ärmeln ihrer Jacke. Ihr Herz pochte schneller. Sie fühlte sich so vollkommen in seiner Nähe. Caspar schaute sie erwartungsvoll an. »Sicher«, brachte sie nach einer ganzen Weile hervor.

Sie gingen durch die hohen Gräser und Blumen des Feldes und setzten sich in den Schatten des Kirschbaums.

Caspar lehnte sich mit dem Rücken lässig an den Stamm des Baumes und blinzelte in die einzelnen Sonnenstrahlen, die durch das Dickicht von Ästen und Blüten hindurchschienen. Sie setzte sich mit gekreuzten Beinen neben ihn auf den warmen Blumenboden und war froh darüber, dass sie heute Morgen lange Jeans angezogen hatte und eine Jeansjacke dabeihatte. Behutsam pflückte sie eine Margeritenblume und drehte den Stiel zwischen ihren Fingerspitzen hin und her. Der kreisende Kopf der Blume zauberte ihr ein Lächeln ins Gesicht. »Die Zusammenhänge mit der Arthussage fand ich sehr spannend«, sagte sie nach einer ganzen Weile.

»Danke für die späte Antwort«, grinste Caspar.

»Wieso hattest du heute früher Schulschluss?«, fragte sie und schaute ihn interessiert an.

»Wieso hattest du denn früher Schulschluss?«, gab Caspar die Frage zurück.

»Weil uns Professor Valistus früher gehen ließ. Wir hatten heute das Thema Quantenphysik. Irgendwas von Photonen-Zwillingen und dass seiner Meinung nach die Gesetze des Mikrokosmos auch für den Makrokosmos gelten müssen. Was irgendwie auch logisch klingt. Ich werde mal darüber recherchieren, denn nächste Woche werden wir eine Arbeit dazu abgeben müssen«, erklärte sie und beobachtete den kreisenden Kopf der Margeritenblume, die sie immer noch zwischen Zeigefinger und Daumen hin und her drehte.

»Klingt spannend«, sagte Caspar ironisch. »Und du«, fragte sie nochmals, »weshalb hattest du schon früher Schulschluss?«, sie sah ihm nun direkt in seine Augen.

»Unsere Englischlehrerin ist schwanger und mitten im Unterricht wurde ihr schlecht. Also hat sie die Lektion frühzeitig beendet. Worüber ich jetzt sehr froh bin. Dir zuzuhören, ist spannender als Englisch.«

Mia schaute verlegen zu Boden. Sie verspürte eine unangenehme Hitze in ihrem Kopf und zupfte nervös die einzelnen Blätter der Margeritenblume ab. Seine Aussage darüber, dass er ihr gerne zuhörte, erstaunte sie und brachte sie in Verlegenheit.

»Du bist ja ganz rot geworden«, sagte Caspar schmunzelnd. »Mir gefällt es, wenn du verlegen bist. Du wirkst dann plötzlich so menschlich«, fügte er hinzu und schaute sie nachdenklich an.

»Menschlich?«, erwiderte sie erstaunt über die Wortwahl von Caspar. »Ich bin doch ein Mensch. Also kann ich ja auch nur menschlich wirken. Oder siehst du in mir auch irgendeine Comicfigur?«, fragte sie ihn mit einem neckischen Unterton.

»Nein, ich sehe keine Comicfigur in dir, Mia«, er blickte ihr ernst in die Augen. Sein Ausdruck hatte plötzlich etwas Wehmütiges.

»Du wirkst einfach so unnahbar auf mich. Ich habe dich heute Morgen in der Schule beobachtet. Es schien, als würdest du von innen her leuchten. Dein ganzes Wesen hat eine enorme Anziehungskraft und ein Strahlen. Du stichst aus der Masse hervor. Du scheinst dir darüber in keiner Weise bewusst zu sein. Du merkst nicht, wie zauberhaft du bist, Mia. Das macht mich traurig. Ich wünschte, du könntest dich durch meine Augen sehen. Fühlen, was ich fühle in deiner Anwesenheit«, und er beendete seine Worte mit einem tiefen Seufzer.

Mia war sprachlos. Sie sah Caspar an. Er schaute nachdenklich zu Boden.

»*Aber, er hat trotzdem nicht gesagt, was er für mich empfindet*«, dachte sie und sagte »Das ist jetzt ein schlechter Witz!«

Er schien über ihre Reaktion verwirrt zu sein.

»Es ist kein Witz, Mia. Sobald ich deine Anwesenheit wahrnehmen kann, fühle ich mich plötzlich so energiegeladen. So vollkommen. Ich bin kein hoffnungsloser Romantiker. Ich hatte auch noch nie zuvor solch irritierende Gefühle. Das hat mich verwirrt. Gleichzeitig hat es mich aber heute beruhigt zu sehen, dass die anderen auch so auf deine Anwesenheit reagieren.«

Sie hielt den Mund offen und vergaß einen Moment zu atmen. Seine Aussage verblüffte sie. »Was meinst du, wenn du von irritierenden Gefühlen sprichst?«, fragte sie und sah ihm in die Augen.

»Ich war noch nie verliebt, Mia. Ich hatte noch nie romantische Gefühle. Ich weiß aber auch nicht, was das für Gefühle sind, die ich empfinde, wenn ich in deiner Nähe bin. Seit ich dich das erste Mal in der Schule gesehen habe, empfinde ich dieses Gefühl der Vollkommenheit. Aber nur, wenn ich in deiner Nähe bin. Eigentlich sollte mir das Angst machen. Aber das tut es nicht. Es ist einfach nur neu. Ich war nie der Draufgänger und erst recht nicht der große Redner. Schon gar nicht über Gefühle.«

Er hielt inne und atmete tief durch. Seine Aufrichtigkeit schien ihn körperlich anzustrengen. Er strich sein braunes Haar nach hinten und sah sie nun an.

Seine Augen wirkten plötzlich ganz alt. So als hätte er schon viel mehr als dieses Leben gesehen und gelebt. Eine Schwermut kam zum Ausdruck. Als wollte er sich vor seinen eigenen Gefühlen schützen.

Mia fühlte ein beklemmendes Stechen in der Brust. Sie hatte ganz plötzlich große Angst. Angst davor, dass Caspar, wie in ihrem Traum von letzter Nacht, einfach so verschwinden könnte. Tränen traten ihr in die Augen. Sie schluckte leer und sah Caspar immer noch gebannt an.

»Das Komische, Mia, ist«, fuhr er leise fort: »Ich habe seit dem ersten Tag, als ich dich gesehen habe, eine nicht erklärbare Angst, dich verlieren zu können.«

Mia hielt den Atem einen Moment an, als ihr bewusst wurde, dass er von denselben Gefühlen geplagt wurde wie sie.

DAS FREMDE ZIMMER

Die Dämmerung war angebrochen. Mia lag mit geschlossenen Augen auf dem Rücken. Caspar lag seitwärts neben ihr und hatte seinen Kopf auf seinem Arm aufgestützt. Er zog einen langen Grashalm aus der trockenen Erde. Sie spürte ein Kitzeln an der Nase und musste lachen. Caspar kitzelte ihre Nase mit dem Grashalm. »Du siehst noch viel schöner aus, wenn du lachst«, sagte er sanft und schaute ihr tief in die Augen. Sie kniff die Lippen zusammen. Er hatte ihr so viel Schönes und gleichzeitig Schwermütiges gesagt, dass sie dabei ganz vergessen hatte, den Moment mit ihm zu genießen.

Sie hatte sich, nachdem er ihr von seiner Angst, sie verlieren zu können, erzählt hatte, einfach schweigend ins Gras gelegt. Ihm zu sagen, dass sie dasselbe schreckliche Gefühl empfand, das konnte sie einfach nicht.

Jede Faser ihres Körpers dürstete zwar danach, ihm ihre Gefühle und Ängste mitzuteilen. *»Wenn er weiß, was ich fühle, wenn ich in seiner Nähe bin, findet er mich vielleicht plötzlich nicht mehr so interessant. Er hat mir zwar auch seine Gefühle mitgeteilt, aber er ist ein Junge und Jungs jagen gerne. Das liegt in ihrer Natur. So haben es mir Lea und all die tragischen Liebesgeschichten aus den Romanen beigebracht. Wenn ich ihm jetzt sage, was ich für ihn empfinde und ihm mitteile, dass ich ebenso große Angst habe, ihn zu verlieren, dann nehme ich ihm ja den Reiz der Jagd. Dann liege ich wie ein erlegtes Reh vor ihm. Und ein lebloses Reh ist einfach nur traurig. Irgendwie ist alles anders, seit ich ihn kenne. Komisch und intensiv. Wunderschön und beängstigend. So viele komische Dinge passieren auf einmal.«*

Das Bild des Pferdes mit dem Hundekopf und den beängstigenden Augen tauchte plötzlich vor ihrem Innern auf. Mia öffnete erschrocken die Augen und sah in Caspars schmunzelndes Gesicht. »Na, du Tagträumerin. Hast du fertig geträumt?«

»Ich habe nicht geträumt. Ich habe nachgedacht. «

»Du hast nachgedacht?«, fragte Caspar nun ernst und sichtlich interessiert. »Über was denn?«

»Über nichts Bestimmtes«, log Mia.

Sie bekam Gänsehaut, setzte sich auf und verschränkte die Arme.

»Es ist kalt geworden«, meinte Caspar.

»Wie spät ist es?«, fragte sie. Sie hatte die Zeit vergessen.

»Es ist kurz vor sechs«, antwortete er.

»Oh, ich muss schnell nach Hause. Um sechs Uhr gibt es Abendessen.«

»Dann werde ich dich jetzt schleunigst nach Hause bringen. Nicht, dass sich deine Familie noch Sorgen macht«, sagte er in einem sanften und fürsorglichen Ton.

»Na ja, wenn ich nicht früher Schulschluss gehabt hätte, wäre ich auch erst etwa um diese Zeit zu Hause.«

Sie standen auf. Caspar nahm ihr Fahrrad und schob es neben sich her. Sie gingen die letzten paar Schritte schweigend nebeneinander her. Jeder in seinen eigenen Gedanken versunken. Beim Haus angelangt, lehnte Caspar Mias Fahrrad an die Fassade und stellte sich direkt vor sie. Er schaute sie an. Sie wussten, dass der Moment des Abschieds gekommen war. Als wollten sie den letzten Atemzug dieses Moments noch ausgiebig auskosten, standen sie einfach schweigend da und schauten sich in die Augen. Eine ganze Weile verging, ohne dass einer der beiden sich gerührt oder ein Wort gesagt hätte. Langsam und behutsam strich Caspar ihr durchs Haar.

»Wir sehen uns morgen.«

»Ja«, flüsterte sie. Sie nahm die ersten paar Stufen der Treppe hoch und drehte sich zu Caspar um. Er stand immer noch am selben Ort.

»Nun geh schon«, sagte er und mühte sich zu einem Lachen durch. Es schien ihn anzustrengen.

Mia drehte sich um und öffnete die Tür.

»Hallo, Mia, kommst du bitte gleich in die Küche. Es gibt Essen!«, hörte sie ihre Mutter rufen.

Sie ging den Korridor entlang und rechts in die Küche. Ein herrliches Duftgemisch von Grillwürstchen, Kartoffelpüree und Bohnen empfing Mia, als sie die Küche betrat. Sharon und Gabriel saßen bereits am Tisch. Ein goldener Kerzenständer mit weißen Kerzen tauchte die Küche in eine wohlige Atmosphäre.

Seit Mia sich erinnern konnte, stand der goldene Kerzenständer mit den weißen Kerzen bei jedem Abendessen auf dem Tisch. Sie liebte es, dass ihre Mutter mit großer Hingabe Wert auf eine herzliche Atmosphäre legte. Jede Woche schmückten frische Wildblumen in roten Glasvasen die Zimmer und verströmten ihren lieblichen Duft im Haus. Bei jedem

Abendessen stand ein Krug mit Tee aus den Kräutern des Gartens zum Trinken bereit. Sharon war wie eine gute Fee. Sie arbeitete jeden Morgen in der Anwaltskanzlei und pflegte nachmittags das Haus und den Garten. Im Garten wuchsen verschiedene Wildblumen und Efeu schlängelte sich an den Hausfassaden hoch. Kletterrosen schmückten den Hauseingang. Hinter dem Haus war eine Veranda mit einer weißen Schaukel. Vor der Veranda führte ein Kieselpfad zum kleinen Schwimmteich. Mia und Gabriel hatten den Teich zusammen mit ihrem Vater gebaut. Mia liebte die Erinnerung daran. Neben dem Teich hatten sie Mohn, Lavendel und Sonnenblumen gepflanzt, die den Garten in ein farbiges Kunstwerk verwandelten. Die Welt war damals für sie noch ein Abenteuerland gewesen, das es jeden Tag aufs Neue zu entdecken galt. Es war eine unbeschwerte Zeit. Ihr Vater Georg hatte ihrer Mutter jeden Samstag das Frühstück ans Bett gebracht. Er verehrte sie. Das tat er bis heute. Aber seitdem er die Firma gewechselt und die Bauleitung eines großen Wohn- und Bürokomplexes übernommen hatte, war er kaum noch zu Hause. Seit Jahren schon. Mia seufzte bei der Erinnerung an die Tage voller Unbeschwertheit.

»Alles in Ordnung, Mia?«, fragte Sharon und schaute sie besorgt an. »Du hast das Essen noch gar nicht angerührt.«

Mia sah zum Teller hinunter. Die Grillwürstchen und das Kartoffelpüree rochen lecker. Erst jetzt merkte sie, wie ihr der Magen knurrte. Sie nahm genüsslich den ersten Bissen. Es schmeckte hervorragend. Sie aß und spürte langsam, wie Energie ihren Körper durchströmte.

»Papa kommt morgen nach Hause«, sagte Gabriel mit dem Mund voller Kartoffelpüree.

»Oh, und für wie lange?«, Mia schaute fragend zu ihrer Mutter.

»Das konnte er noch nicht genau sagen. Das ist abhängig davon, wie lange die Arbeiter ohne seine Anwesenheit auskommen. Aber er wird morgen mit uns zum Lampionfest gehen.«

»Schön, dass er sich für ein Fest Zeit nehmen kann«, murmelte Mia.

»Du weißt genau, dass er das für euch tut, damit ihr ein schönes Zuhause habt. Für ihn ist das genauso schwer«, sagte Sharon liebevoll.

Mia nahm einen großen Schluck vom Pfefferminztee und rollte mit den Augen.

»Klar, Mama. Ich bin ja auch genug alt, um das zu verstehen. Aber hast nicht du uns gelehrt, dass die Zeit das Wertvollste ist, was man einem Menschen schenken kann?« Sie schaute ihre Mutter vorwurfsvoll an.

Sharon presste die Lippen zusammen und drückte nachdenklich mit der Gabel auf dem Kartoffelpüree rum.

Sie betrachtete ihre Mutter. Ihre engelhaften blonden Locken waren von grauen Strähnen durchzogen. Auf ihrer Stirn bildeten sich Falten. Sie wirkte auf einmal alt. Zerbrechlich. Mia wurde traurig. Ihre Mutter war für sie immer stark, so als konnte ihr nichts etwas anhaben. Mia verspürte eine plötzliche Trauer, als sie sich der Sterblichkeit allen Lebens bewusst wurde. Sie berührte liebevoll den Arm ihrer Mutter.

»Ich freue mich, dass Papa kommt«, sagte sie und lächelte Sharon an. Sharon lächelte zufrieden zurück. Ihr Lachen verlieh ihrem Gesicht wieder diese jugendliche Schönheit.

»Freuen wir uns doch auf einen tollen Familienausflug«, sagte Sharon voller Freude und sah ihre beiden Kinder an.

Gabriel stocherte in einem See aus Bratensauce herum. Er sagte kein Wort. Dass Papa so oft weg war, schien ihn am härtesten zu treffen.

»*Ein achtjähriger Junge braucht seinen Vater*«, dachte Mia und sah ihren Bruder an. Er wirkte traurig und trotzig zugleich.

»Gabriel, das ist ja super, wenn Papa kommt. Dann kannst du mit ihm Fußball spielen«, sagte sie aufmunternd.

Gabriel sah von seinem Gemansche aus Kartoffelpüree und Bratensauce hoch und schien plötzlich wieder zufrieden. »Ja, dann spiel ich Fußball mit Papa. Aber ohne euch!«, sagte er in einem bestimmenden Tonfall und lachte stolz in die Runde. Sharon und Mia sahen sich lachend an. Das Lachen fühlte sich wohltuend und befreiend an. Gabriel nahm einen großen Schluck Tee und lachte so sehr, dass er das Getränk über den Teller vor sich ausspuckte. Sein Gesicht war krebsrot. Verdattert und beschämt sah er zu Sharon hinüber. Mia musste sich den Bauch halten vor Lachen. Tränen schossen ihr in die Augen und ihr ganzer Körper schüttelte sich, so sehr musste sie lachen.

Ein plötzlicher und heftiger Stoß in die linke Seite ihrer Rippen ließ sie augenblicklich verstummen. Ihr Herz raste. Ein schmerzerfülltes Gurgeln drang aus ihrer Kehle. Mit ihrer rechten Hand griff sie reflexartig an ihre Rippen. Der schnelle, pochende Schmerz verschlug ihr den Atem. Schweiß trat auf ihre Stirn. Mit weit aufgerissenen Augen sah sie schockiert ihre Mutter an. Alles drehte sich. Sie suchte Halt am Stuhl. Ein dumpfer Schlag. Dunkel.

Mia fand sich in einem von Kerzenlicht erfüllten Raum wieder. Sie schaute sich um. Die Wände des Zimmers waren aus dunklem Holz. Links von ihr stand ein helles Schrankmöbel. Eine silberne Schüssel und Lavendelzweige, die mit einem hellen samtenen Band zusammengeschnürt waren, zierten die weißen gehäkelten Spitzendeckchen auf dem Schrankmöbel. Sie ließ ihren Blick nach rechts wandern. Die Fenster waren mit schweren gelben Vorhängen verdeckt. Sie hörte ein Knistern und drehte ihren Kopf in die Richtung, aus der sie das Knistern vernahm. Links neben dem Schrankmöbel war ein Kamin. In die leicht hervorstehenden Steinmauern des Kamins waren Engel auf Pferden gemeißelt. Mias Mund stand fassungslos offen.

»Wo bin ich?«, sie schaute sich verwirrt im Raum um. Ihre Hand fühlte weiches Leder. Sie sah an sich hinunter. Sie saß auf einem braunen, altertümlichen Sofa. Plötzlich stand vor ihr ein kleiner Salontisch.

Es schien so, als ob das Zimmer erst durch ihr genaues Hinsehen allmählich entstehen würde.

Ein helles, wundervolles Lachen durchströmte den Raum. Sie zuckte erschrocken zusammen. Ein junger Mann, Mitte zwanzig, saß neben ihr auf dem Sofa und hielt ihre Hand. Sie musterte ihn verwirrt. Er schien nicht zu bemerken, dass sie ihn beobachtete. Mit seiner rechten freien Hand fuhr er sich durch sein volles goldblondes Haar. Er trug ein weißes Hemd, bei dem die oberen beiden Knöpfe geöffnet und ein paar seiner Brusthaare zu sehen waren. Mias Blick blieb kurz an seinem wohlgeformten Oberkörper haften und ihr Atem setzte für eine Sekunde aus. Sie war gebannt von seiner wundervollen und maskulinen Erscheinung.

Eine Frauenstimme riss sie aus ihrer Bewunderung. Sie drehte ihren Kopf leicht nach links und sah, dass ihr gegenüber eine Frau und ein weiterer Mann auf einem ebenso braunen und altertümlich wirkenden Sofa saßen.

Die Frau hatte ihre schwarzen Haare kunstvoll hochgesteckt. Ihr Kleid war dunkelgrün und hatte einen weißen Rüschenkragen.

»Was denkst du über die Vorkehrungen zu unserer Verlobungsfeier?«, die Frau schaute Mia nun direkt in die Augen. Mia sah sie verwundert an. Dann bemerkte sie, dass der dunkelhaarige, gut gekleidete Mann ihr gegenüber die Hand der Frau hielt und sie verliebt ansah. Mias Mund stand offen.

»Aurora, alles gut bei dir?«, fragte der Mann, der rechts von ihr saß, und schaute sie besorgt an. Seine bezaubernden Augen machten sie nervös.

»Ich weiß nicht«, stammelte Mia.

»Sie ist ganz bleich«, sagte die Frau mit den schwarzen Haaren nun ebenfalls besorgt.

Mia holte tief Luft und hustete. Erst jetzt bemerkte sie, dass die Luft rauchgeschwängert war und dass auf dem Salontisch ein kristallener Aschenbecher stand.

Es schien nicht nur so, es war tatsächlich so, dass das Zimmer erst durch ihr genaues Hinsehen Gestalt annahm.

Sie schaute den Mann vor sich an. Er blies Rauchringe in die abgestandene Luft. Sein Blick traf den ihren und seine schwarzen Augen durchfuhren ihren Körper unangenehm. Er kniff seine Augen zusammen, musterte sie kritisch und sagte: »Elva, begleite Aurora doch mal an die frische Luft. Der Zigarrenduft bekommt ihr wohl nicht.«

Die Frau mit den schwarzen Haaren erhob sich.

»Elva, ist das dein Name?«, fragte Mia, immer noch verwirrt, und schaute die Frau an.

»Dir geht es wirklich nicht gut, Aurora. Du weißt doch, dass ich so heiße«, die Frau lächelte sie liebevoll an.

»Und wie ist dein Name?«, fragte Mia nun den Mann neben sich.

»Liebste, ich bin Coel«, sagte er sanft und strich ihr ein braunes Haar aus dem Gesicht. Er schaute sie besorgt an und fuhr dann fort: »Habt Dank für eure Mühen, Elva und Andariel. Ich werde meine Aurora jetzt besser nach Hause geleiten. Entschuldigt uns bitte.«

Der Mann, der Coel hieß, erhob sich vom Sofa und hielt ihr seine Hand entgegen.

»Kommst du, meine Liebste?«, fragte er sie.

Sie schaute ihm verwirrt in die Augen.

Diese Augen. Sie kannte sie irgendwoher.

Sie holte nochmals tief Luft und hustete abermals. Ihr Körper schüttelte sich.

»Mia!« Mia vernahm die besorgte Stimme ihrer Mutter. Sie öffnete langsam ihre Augen. »Was ist passiert?«, presste sie leise hervor. Ihr Mund fühlte sich ausgetrocknet an.

»Du bist für wenige Sekunden weggetreten und auf den Küchenboden gefallen.«

»Für ein paar Sekunden?«, fragte Mia entgeistert.

Das Erlebnis im unbekannten Zimmer mit den altertümlich gekleideten Menschen war ihr wie Stunden vorgekommen. Sharon hielt ihr die Hand auf die Stirn. »Komisch, Fieber hast du keines. Ich bringe dich ins Bett, du solltest dich kurz ausruhen.«

»Nein, Mama, alles wieder gut«, beteuerte sie, während sie versuchte sich aufzusetzen.

In ihrem Kopf drehte sich immer noch ein Karussell. Sie fasste sich an die Stirn und atmete tief ein und aus. »Ich werde mich wohl doch besser kurz hinlegen. Aber im Wohnzimmer. Ich mag nicht Treppen steigen.«

»Wie du möchtest, mein Schatz«, gab Sharon zur Antwort und griff Mia um die Taille, um ihr beim Aufstehen zu helfen. Gabriel fuhr Mia über den Arm und murmelte: »Arme Mia.«

Mia lächelte ihn an, aber zu lächeln war anstrengend und ihre Beine fühlten sich wie Wackelpudding an.

Schritt für Schritt lief sie, gestützt von ihrer Mutter, ins Wohnzimmer und legte sich auf das blaue Sofa. Sharon verließ den Raum, um gleich darauf mit einer Tasse Tee zurückzukommen. »Trink den bitte. Ich habe Honig reingegeben. Der Zucker wird deinem Kreislauf guttun«, sagte sie und setzte sich sachte vor Mia auf das Sofa. »Geht es dir gut, Liebes? Gibt es etwas, dass dich belastet, oder etwas, dass du mir gerne erzählen möchtest?«, fragte Sharon besorgt.

Mia lag auf dem Rücken und hatte die Hände vor dem Bauch gefaltet. Sie starrte zur Decke. »Nein, Mama. Alles gut.«

Was sollte sie ihrer Mutter schon erzählen? Dass sie sich von einem Jungen angezogen fühlte, der auf magische Weise ihr Spiegelbild zu sein schien? Dass sie sich von einem Ghul verfolgt fühlte, den sie selber noch nie gesehen hatte? Oder davon, dass sie plötzlich im Körper einer Frau aus einer anderen Epoche steckte, die auf den Namen Aurora hörte? Dass sie einen Jungen liebte, den sie kaum kannte, und sich bei ihm doch mehr zu Hause fühlte als an jedem anderen Ort der Welt? Dass sie Herzschmerzen hatte, konnte sie nicht bei ihm sein? Sharon würde denken, sie sei verrückt geworden.

Das Klingeln an der Haustüre riss Mia aus ihren Gedanken. Sharon bedachte sie mit einem sorgenvollen Blick, bevor sie aufstand, um an die Tür zu gehen.

»Hey, Sharon!«, die quietschende Stimme von Lea drang zu Mia ins

Wohnzimmer. »Ich wollte nur kurz vorbeikommen, um Mia ein Kleid für das Fest morgen zu bringen«, hörte sie Lea in einem freudigen Ton sagen.

»Sie ist im Wohnzimmer. Geh einfach rein«, sagte Sharon zu Lea.

»Hey, meine liebste beste Freundin! Ich habe dir was mitgebracht«, quiekte Lea verheißungsvoll, als sie das Wohnzimmer betrat, und hielt stolz ein orangefarbenes Kleid in die Höhe. »Das habe ich extra für dich gekauft. Ich habe mir gedacht, es wäre lustig, wenn wir beide orange gekleidet wären für das Fest morgen. Passend zu den Lampions. Die sind ja auch orange.«

Mia warf einen kurzen Blick auf das Kleid und schaute Lea dann vorwurfsvoll an. Lea ließ sich nicht beirren und fuhr munter fort: »Mein Kleid ist natürlich auch orange. Einfach noch ein bisschen kürzer.«

Mias Augen weiteten sich. »Noch kürzer?«, brachte sie schließlich hervor.

»Nur ein wenig kürzer«, gab Lea schmunzelnd zur Antwort und zuckte mit den Schultern. »Du kennst mich ja.«

Mia setzte sich schweigend auf und nahm einen Schluck vom Tee, den Sharon gebracht hatte.

»Was sagst du dazu? Ist doch eine super Idee!«, meinte Lea begeistert und hüpfte freudig von einem Fuß auf den anderen. »Hast du heute zu viel Kaffee getrunken?«, murmelte Mia.

»Im Gegensatz zu dir scheine ich ganz einfach gute Laune zu haben. Ich wollte dir nur eine Freude machen. Aber ich kann auch gerne wieder gehen. Das Kleid nehme ich dann aber mit«, sagte Lea enttäuscht über Mias mürrische Reaktion. Sie wollte gerade auf dem Absatz kehrtmachen, als Mia ihr zurief: »Warte bitte, Lea! Es tut mir leid. Ich freue mich über deinen Besuch. Aber du weißt doch, dass ich nicht gerne kurze Kleider trage. Erst recht nicht in so knalligen Farben. Da falle ich doch viel zu stark auf«, sagte sie und schaute Lea mit einem entschuldigenden Blick in die Augen.

Lea huschte ein leichtes Lächeln über das Gesicht. Sie setzte sich auf den blauen Sessel gegenüber von Mia. »Es ist nur so, dass du die letzten Tage etwas komisch bist. Du wirkst irgendwie apathisch. Deshalb habe ich gedacht, ein wenig Farbe könnte dir guttun«, sagte sie und fügte hinzu: »Wieso bist du schon wieder so bleich?«

Gerade als Mia Antwort geben wollte, kam Sharon mit einem Teller voll Keksen ins Wohnzimmer. »Damit ihr was zum Naschen habt«, sagte sie und platzierte den Teller mit den herrlich duftenden Keksen in der Mitte des Tisches.

»Geht es dir besser?«, fragte sie dann an Mia gewandt. »Ich fühle mich gut, Mama. Danke«, gab Mia zur Antwort. »Wieso besser?«, erkundigte sich Lea leicht verwirrt. »Ist es dir nicht gutgegangen? Immer noch wegen deiner gestrigen Ohnmacht?«, meinte Lea nun in einem besorgten Ton.

»Du warst ohnmächtig?«, frage Sharon erschrocken, »wieso hast du mir das nicht erzählt?«

»Ich war gestern zu müde, um es dir noch zu erzählen, Mama, und es ist ja auch nicht weiter tragisch«, murmelte Mia entschuldigend.

»Dann gehst du aber morgen zum Arzt. Zweimal hintereinander erscheint mir nicht gerade gesund«, meinte Sharon ernst.

»Auf keinen Fall, Mama! Morgen ist das Lampionfest. Ich möchte hingehen. Ich habe die letzten Tage wohl einfach zu wenig Wasser getrunken. Das kann ja mal vorkommen.«

»Na gut«, sagte Sharon, »dann gehst du ans Lampionfest, aber machst dafür gleich morgen einen Termin beim Arzt.«

»Wenn es denn unbedingt sein muss«, flüsterte Mia genervt und verdrehte die Augen.

Es klingelte an der Türe. Sharon sah Mia verdutzt an. »Erwartest du noch mehr Besuch?« Sie schaute ihre Mutter an und verneinte.

Sharon lief aus dem Zimmer. Mia und Lea saßen still da und horchten. Die Stimme eines älteren Mannes drang ins Wohnzimmer. Mia hörte, wie ihre Mutter sagte: »Das tut mir leid. Ja, klar geht das. Ich schreibe ihnen meine Telefonnummer auf, damit sie mich erreichen können.«

Mia und Lea schauten sich fragend an. Eine ganze Weile war nur ein Flüstern zu vernehmen.

Sharon war nun mit dem Mann in der Küche.

Mia und Lea versuchten irgendetwas von dem Flüstern zu verstehen.

»Hallo«, sagte eine Stimme kaum hörbar. Die Mädchen zuckten erschrocken zusammen. Sie waren so konzentriert gewesen, etwas von dem Gesprochenen aus der Küche vernehmen zu können, dass sie gar nicht bemerkt hatten, dass ein kleiner Junge im Wohnzimmer stand.

Zwei Teile

Leonard, der kleine Bruder von Caspar, stand mitten im Wohnzimmer und schaute Mia traurig an. Er musste geweint haben, denn seine großen braunen Augen waren ganz wässrig und rot. Er holte tief Luft und zupfte mit seiner linken Hand nervös an seiner dunkelblauen Latzhose herum. Mit seiner rechten Hand fuhr er sich durch seine blonden Haare. Die beiden Mädchen schauten ihn immer noch erschrocken an und warteten darauf, dass er etwas sagte. »Ist Gabriel da?«, fragte er schließlich mit zittriger Stimme.

»Leonard, was ist denn los mit dir, ist alles okay?«, fragte Mia. Leonard schüttelte verneinend den Kopf.

»Komm setz dich zu uns. Ich werde Gabriel rufen.«

Leonard setzte langsam einen Fuß vor den anderen und hockte sich neben Mia aufs Sofa.

»Magst du reden, Leo?«, hakte Mia nochmals nach.

Tränen kullerten aus Leonards braunen Augen. »Er ist einfach hingefallen und hat sich nicht mehr bewegt«, sagte er und wischte sich die Tränen aus dem Gesicht.

»Wer ist *er*?«, flüsterte Lea in Mias Ohr.

»Er ist der kleine Bruder von Caspar«, antwortete Mia leise und strich Leonard, der nun in Tränen aufgelöst war, tröstend über den Rücken.

»Caspar aus unserer Schule? Der Neue?«, fragte Lea weiter nach. Mia nickte und fragte: »Kannst du bitte Gabriel rufen?«

»Klar«, antwortete Lea. Sie stand auf und lief aus dem Wohnzimmer.

Leonard hatte sich vornübergebeugt und seinen Kopf in seinen Händen vergraben.

»Magst du mir erzählen, wer umgefallen ist?«, fragte sie ihn mit sanfter Stimme.

»Er ist im Krankenhaus«, Leonard stockte mitten im Satz und fuhr dann fort: »Ich habe Angst, dass er tot ist.«

»Wer denn?«, hakte Mia abermals und nun sichtlich nervös nach.

»Caspar«, sagte Leonard unter Tränen.

Mia fühlte sich, als hätte man ihr einen Dolch mitten ins Herz gerammt. Sie spürte, dass ihr das Blut aus dem Gesicht wich. Ihr Puls beschleunigte sich. »Ich bin gleich wieder bei dir, Leo«, stammelte sie und ging mit wackeligen Beinen in die Küche.

Sharon saß am Küchentisch. Sie schaute ernst und nickte besorgt. Ihr gegenüber saß ein Mann Mitte fünfzig. Seine Augen waren gerötet. Währenddem er sprach, blickte er angespannt auf den Küchentisch. Beide verstummten, als sie Mia bemerkten.

»Mama, ich muss sofort ins Krankenhaus. Ich muss zu Caspar!«, sagte sie und erschrak über den bestimmenden Tonfall in ihrer Stimme.

»Ich habe gerade erfahren, dass ihr euch kennt«, sagte Sharon leise.

»Dann bist du Mia?«, fragte der Mann, stand auf und reichte ihr die Hand. »Ich bin George, Caspars Vater. Leo wollte unbedingt zu Gabriel und mit ihm spielen. Ich hoffe, das wird ihn etwas ablenken.« Mia gab ihm die Hand und lächelte. »Was ist mit Caspar?«, fragte sie und sah den großgewachsenen, elegant gekleideten Mann mit dem dichten schwarzen Haar gebannt an. Er sah wieder zu Boden und setzte sich hin. »Ein Kammerflimmern, wie es scheint«, meinte er mit gebrochener Stimme und taxierte den Küchentisch mit einem besorgten Blick. Seine Hände strichen nervös über die Tischplatte.

Einen Moment schwiegen alle drei, bis Sharon die unangenehme Stille durchbrach: »Mia, du kannst jetzt nicht ins Krankenhaus. Es ist kurz vor acht und Caspar schläft sicherlich.«

»Ich muss gehen!«, entgegnete Mia und schaute ihre Mutter ernst an. Sie spürte, wie sich ihre Augen mit Tränen füllten und ging aus der Küche.

Aufgelöst rannte sie die Treppe hoch in ihr Schlafzimmer und durchwühlte aufgeregt einen Stapel frischer Wäsche. Tränen liefen ihr Gesicht hinunter. Sie strich mit dem Handrücken die Tränen weg. »Na endlich!«, rief sie, als sie zuunterst im Wäscheberg ihr Handy entdeckte. Mit zittrigen Händen wählte sie die Nummer von Ben. Es klingelte mehrmals. Sie lief nervös in ihrem Zimmer hin und her.

»Hallo«, meldete sich die Stimme von Ben am anderen Ende der Leitung.

»Ben, zum Glück erreiche ich dich!«, rief sie aufgeregt in den Hörer. Sie versuchte ihre weinerliche Stimme normal klingen zu lassen. Ben schien nichts zu bemerken und fragte lachend: »Was gibt's?«

»Fährt dein Roller wieder?«

»Ja, er fährt wieder. Warum?«

»Komm bitte so schnell wie möglich vorbei!«, krächzte sie aufgeregt in den Hörer und legte auf, ohne Ben eine weitere Erklärung abzugeben.

»Alles gut?«, fragte Lea und trat in Mias Zimmer. »Nein. Ich muss ins Krankenhaus. Caspar ist dort. Ben wird mich hinfahren«, erklärte sie, während sie sich ihre Jeansjacke anzog.

»Okay«, meinte Lea etwas perplex und schaute sie fragend an. »Du magst ihn wirklich, oder?«, hakte sie nach.

»Ja, Lea, könnte sein, dass ich ihn mag«, entgegnete Mia, griff nach dem Kamm auf dem Nachttisch und kämmte sich im Eiltempo durch ihre Haare.

»Woher kennt denn deine Mutter seinen Vater?«, fragte Lea neugierig weiter.

»Sie kennen sich nicht. Er hat Leo nur hierhergebracht, weil Leo unbedingt mit Gabriel spielen wollte«, entgegnete Mia genervt und knöpfte sich ihre Jeansjacke zu.

Es klingelte an der Haustür. »Das ist Ben. Ich muss gehen. Darf ich dich später anrufen?«,

»Ja klar«, entgegnete Lea und sah Mia kopfschüttelnd an. Mia drückte ihr einen Kuss auf die Wange und flüsterte: »Entschuldigung. Und danke nochmals für das tolle Kleid.«

Sie drehte sich um, ging eilig aus dem Zimmer, rannte die Treppe hinunter und verließ wortlos das Haus. Die kalte Nachtluft normalisierte ihren Pulsschlag augenblicklich.

Ben stand auf dem Gehweg und lehnte entspannt gegen seinen Roller.

»Super, Ben, dass du so schnell kommen konntest!«, sagte Mia erleichtert.

Ben rieb seine Hände aneinander und blies warme Luft aus dem Mund. »Wow, echt kalt geworden.«

»Ja, es ist kalt«, sagte Mia und kam zu dem Entschluss, dass die Jeansjacke wohl doch die falsche Wahl gewesen war.

Die Haustür ging auf und die besorgte Stimme von Sharon erklang hinter Mia. »Ich habe dir doch gesagt, dass du nicht gehen sollst! Du kannst morgen gerne hin, aber jetzt ist es zu spät!«

»Ich muss, Mama. Du verstehst das nicht.«

Sharon schüttelte genervt den Kopf. »Aber danach kommst du gleich nach Hause und wir beide sprechen uns noch«, fügte sie hinzu und schloss die Tür.

»Also«, sagte Ben lachend: »Wo brennt`s?«

»Wir müssen ins Krankenhaus. Caspar ist dort«, sagte sie und schaute Ben flehend an. »Aber du kennst den ja kaum«, entgegnete Ben.

»Bitte, ich muss nach ihm sehen. Ich kann es dir ein andermal erklären, aber nicht jetzt. Die Besuchszeit ist jeden Moment vorbei«, sie schenkte ihm ihren schönsten Augenaufschlag.

»Na dann. Hier ist der Helm«, gab er schmollend zur Antwort und reichte ihr einen schwarzen Helm. »Dann geben wir mal Gas«, sagte er und setzte sich auf den Roller. Mia stieg etwas ungeschickt und umständlich auf den Roller und schaffte es nach einigen peinlichen Sekunden, hinter ihm Platz zu nehmen, und schlang ihre Arme um seine Hüfte. Ben ließ den Motor aufheulen und fuhr im Eiltempo los.

Die Fahrtluft ließ Mia wieder klarere Gedanken fassen. Caspar hatte ein Kammerflimmern und lag jetzt im Krankenhaus. Die Gedanken, die sie am meisten hatte verdrängen wollen, strömten ungehindert auf sie ein. »*Was, wenn er stirbt? Wenn die Ärzte seinem Herz nicht helfen können?*«, ihr entwich ein tiefer Seufzer. Sie spürte, wie ihr Brustkorb sich zusammenzog. Ihr ganzer Körper verspannte sich beim Gedanken daran, ohne Caspar leben zu müssen. Ein schmerzerfülltes Gurgeln drang aus ihrer Kehle. Ihre Finger bohrten sich in Bens Bauch und klammerten sich hilfesuchend an ihm fest.

»Alles okay dahinten?«, rief Ben in seinen Helm. Mia presste ein gequältes »Ja« heraus.

»*Ich glaube, Kammerflimmern ist, wenn das Herz plötzlich unkoordiniert und schnell schlägt*«, überlegte sie weiter und biss sich dabei angestrengt auf die Unterlippe. Ihre Gedanken schweiften ab: »*Wenn ich Ärztin werden möchte, sollte ich anfangen zu lernen.*«

Wieso sie unbedingt Ärztin werden wollte, konnte sie sich selbst nicht erklären. Aber seit Jahren war es der einzige Beruf, den sie sich vorstellen konnte. Den Ursprung dieses Wunsches kannte sie aber nicht.

Das Krankenhauszimmer war in das schummrige Licht der Nachttischlampe getaucht. Ein monotones Piepsen war das einzig vernehmbare Geräusch. Mia hielt den Atem an. Caspar lag alleine in diesem weißen, sterilen Raum. Sein Gesicht wirkte leblos. Um ihn herum standen Apparaturen und hingen Schläuche. Er trug eine Sauerstoffbrille und lag mit geschlossenen Augen da. Ihr kamen Tränen in die Augen.

Ein Teil von ihr hätte das Zimmer am liebsten wieder verlassen. *»Was mache ich hier? Ich kenne ihn kaum. Warum ist er mir so wichtig?«*, fragte sie sich, während sie sich mit ihrem Handrücken Tränen aus dem Gesicht strich.

Der andere Teil in ihrem Herz, der mächtigere Teil, sehnte sich so sehr danach, in seiner Nähe zu sein. Ein kurzer heftiger Kampf tobte in ihr. Der mächtige, sich nach Caspar verzehrende Teil hatte gewonnen.

Zaghaft setzte sie einen Fuß vor den andern, bis sie ganz dicht vor seinem Bett stand.

Seine Lippen schimmerten bläulich. Sein weißes Gesicht wirkte entspannt.

Ihre Augen füllten sich erneut mit Tränen. Wo er wohl gerade sein mochte? Sie strich sanft mit ihrer Hand über sein Gesicht. Plötzlich schien es so, als würde er lächeln. Aber vielleicht war dies auch nur ein Wunschgedanke von ihr.

Das monotone Piepsen ertönte auf einmal in einem anderen, viel schnelleren Takt. Nur für einen kurzen Augenblick, um dann wieder in seinen monotonen Rhythmus zurückzukehren. Mia blickte erstaunt die blaue Maschine an und runzelte die Stirn. Dann sah sie wieder zu Caspar. Er sah so unglaublich friedlich aus und mit seinem wundervollen Gesicht wirkte er engelsgleich. Die Zeit schien stillzustehen.

Eine Krankenschwester stürmte ins Zimmer und lief zu einem der Apparate. »Guten Abend«, murmelte Mia.

Die Krankenschwester schien sie nicht zu bemerken und war vertieft in ihre Kontrolle. »Merkwürdig. Sein Puls hat sich kurz verändert«, murmelte die Krankenschwester gedankenversunken vor sich hin. Dann drehte sie sich von der Apparatur weg und sah Mia in die Augen. »Guten Abend«, sagte sie und fuhr fort: »Entschuldigung, ich habe dich erst gar nicht bemerkt.«

»Ist alles gut mit dem Apparat?«, fragte Mia und zeigte auf die monoton klingende blaue Maschine neben Caspars Bett.

»Jetzt sollte alles wieder gut sein. Aber ich muss es beobachten. Sein Puls hat sich kurzzeitig verändert, jetzt hat er sich aber wieder normalisiert«, klärte die Krankenschwester Mia auf. »Vielleicht hat er sich ja auch einfach über den Besuch gefreut«, fügte sie aufmunternd hinzu, als sie die geröteten Augen von Mia bemerkte.

»Ja, vielleicht«, sagte Mia und schaute verlegen zu Boden. »Leider muss ich dich jetzt aber bitten zu gehen. Der junge Herr darf in seinem Zustand noch keinen Besuch empfangen.«

»Verstehe«, murmelte Mia und schaute Caspar an. Sie hätte ihm so gerne nochmals über sein Gesicht gestrichen. Aber ihre Hand verharrte mitten in der Bewegung. Sie ging langsam aus dem Zimmer. Jeder Schritt fiel ihr schwer. Mit jedem Schritt entfernte sie sich weiter vom Bett und damit auch von ihm. Am liebsten hätte sie sich umgedreht und zu ihm ins Bett gelegt. Seinen Duft gerochen. Neben ihm geschlafen. Sie wünschte sich, bei ihm zu sein, wenn er erwachen würde, und wieder in seine goldenen Augen sehen zu können.

Ben wartete vor dem Zimmer auf Mia. Er saß auf einem grauen Sessel und starrte in sein Handy. Als er Mia bemerkte, stand er sofort auf. »Du siehst fürchterlich mitgenommen aus«, bemerkte er und nahm sie ohne ein weiteres Wort in den Arm. Sie umarmte ihn ebenfalls.

»Was ist denn los mit dir?«, er löste sich aus der Umarmung, hielt ihren Kopf zwischen seinen Händen und schaute sie durchdringend an. »Was ist los mit dir?«, fragte er erneut.

Mia schüttelte wortlos den Kopf und nahm seine Hände von ihrem Gesicht. »Nichts«, flüsterte sie schulterzuckend, drehte sich von ihm ab und ging langsam davon. Ben lief ihr hinterher. »Du kannst mir nicht erzählen, dass nichts ist! Du rufst mich am Abend an, damit ich dich ins Krankenhaus fahre, nur damit du einen Jungen besuchen kannst, denn du nicht mal wirklich kennst.«

»Ich kenne ihn«, antwortete Mia. Bens Worte verletzten sie.

Ben schüttelte verständnislos den Kopf. »Mia, ich mache mir Sorgen um dich. Du bist so distanziert und zynisch in letzter Zeit.«

»Mag sein, dass ich zynisch bin. Aber nur deshalb, weil mir eure Fragerei auf die Nerven geht«, ihre Stimme erzitterte. »Wie soll ich dir erklären, was mit mir los ist, wenn ich mich selber nicht mal verstehe?«, sie drehte sich zu Ben um und brach in Tränen aus. Ben, überrumpelt von ihrem plötzlichen Gefühlsausbruch, nahm sie erneut in den Arm und strich ihr tröstend übers Haar.

»Bitte nicht weinen, meine Mia. Du musst mir nichts erklären. Ich bin da für dich«, flüsterte er ihr beruhigend ins Ohr und drückte sie fester an sich. Mia schluchzte hemmungslos in Bens Schultern und spürte, wie befreiend es war, endlich weinen zu können.

Eine ganze Weile standen sie so im Flur des Krankenhauses. Eine junge Krankenschwester lief an ihnen vorbei und schenkte ihnen einen mitleidigen Blick. »Komm, ich bringe dich nach Hause«, flüsterte Ben. Mia nickte, löste sich aus der Umarmung und strich sich die Tränen aus dem Gesicht. Sie lächelte ihn an. »Danke, Ben. Für alles.«

Sie brausten im Eiltempo über den schmalen Waldweg und bogen schließlich in eine Nebenstraße ein, die auf direktem Weg nach Valmostaat führte.

Mia befand sich bereits auf der Treppe, ehe ihr bewusst wurde, dass sie vor der Haustür stand und zu Hause angelangt war. Sie drehte sich zu Ben um. »Bis morgen«, rief sie ihm zu.

Ben winkte ihr zum Abschied zu und fuhr davon. Sie schaute ihm noch einen kurzen Moment hinterher, bis er in der Dunkelheit der Nacht verschwand. Sie holte tief Luft und drückte die Türklinke hinunter.

»Da bist du ja endlich. Setz du dich bitte zu mir, ich möchte mich gerne mit dir unterhalten«, erklang Sharons Stimme aus der Küche.

Mia seufzte. Auf eine Strafpredigt ihrer Mutter hatte sie gar keine Lust.

Sharon saß mit angespannter Miene am Küchentisch. Sie sah besorgt aus.

Mia setzte sich ihr gegenüber und schaute sie an. »Und über was genau möchtest du dich unterhalten?«, fragte Mia mit einem genervten Unterton in der Stimme.

»Ich möchte von dir wissen, über was du dich mit mir unterhalten möchtest«, entgegnete Sharon, faltete ihre Hände und sah Mia gespannt an.

»Ich habe nichts zu erzählen, Mama«, sagte sie und stand auf, um sich eine Tasse mit warmer Milch zu machen.

»Du willst behaupten, dass es nichts gibt, das du mir erzählen solltest?«, rief Sharon mit lauter Stimme und schlug mit ihrer flachen Hand entrüstet auf die Tischplatte.

Mia zuckte zusammen und sah ihre Mutter erschrocken an. Sharon blickte sie zornig an und fuhr laut fort: »Was glaubst du eigentlich, wie es ist, wenn man die eigene Tochter nicht mehr erkennt? Du wirst ohnmächtig und versuchst mir aus dem Weg zu gehen. Was glaubst du, wie es für mich ist, die meiste Zeit ohne euren Vater zu sein? Ich fühle mich sehr alleine, Mia, und wäre froh, wenn du mit mir sprichst, wenn dich etwas belastet. Stattdessen weichst du meinen Fragen ständig aus und gibst mir nur schnippische Antworten. Was ist los mit dir, Mia? Ich erkenne meine eigene Tochter nicht mehr.« Beim letzten Satz wurde ihre Stimme leise und zittrig.

Mia war sprachlos. Sie wusste nicht, wie sie auf die Empörung ihrer Mutter reagieren sollte. Schweigend nahm sie die Milch aus dem Kühlschrank und goss diese in die kleine Pfanne, die sie zuvor auf den Herd gestellt hatte. Sie drehte den Regler des Herdes auf die höchste Stufe und ging wieder zu Sharon an den Tisch, ohne ihr in die Augen zu blicken.

Sharon holte tief Atem und fuhr in einem ruhigen Ton fort: »Sprich bitte mit mir, Mia. Ich merke doch, dass dich irgendetwas belastet.«

Tausend Gedanken kreisten in Mias Kopf herum. Wie sollte sie erklären, was mit ihr los war? Eine ganze Weile stand sie gedankenversunken da und schaute zu Boden.

Ein Gurgeln ertönte. Die Milch kochte. Mia war froh über die Ablenkung. Sie stand auf und goss sich die heiße Milch in die Tasse neben dem Herd. »Es ist alles in Ordnung«, sagte sie und fügte beruhigend hinzu: »Wirklich, Mama«, während sie sich mit der Tasse Milch in der Hand wieder an den Tisch setzte und ihre Mutter ansah.

Sharon wirkte müde und besorgt.

Mia hätte ihre Mutter gerne beruhigt. Aber wie sollte sie Sharon beschwichtigen können, wenn sie nichts von alledem, was sich die letzten Tage in ihrem Leben abgespielt hatte, erklären konnte. Sie suchte angestrengt nach Worten. Doch es kam ihr nichts in den Sinn.

»Woher kennst du diesen Caspar?«

»Aus der Schule«, antwortete Mia.

»Aber seine Familie ist ja erst vor kurzem hierhergezogen. Also, wieso ist dir dieser Junge denn so wichtig?«, hakte Sharon verwundert nach.

»So wichtig ist er mir gar nicht. Ich wollte nur sicher sein, dass es ihm gut geht«, murmelte Mia und nahm einen Schluck Milch.

»Kann es sein, dass du dich in ihn verliebt hast?«, fragte Sharon weiter.

Mia umklammerte die Tasse hilfesuchend und drückte ihre Nägel gegen den harten, heißen Ton. Sie holte tief Luft und schaute ihre Mutter an. »Nein, Mama, ich bin nicht verliebt. Ich war nur besorgt«, sie versuchte krampfhaft zu lächeln, um ihre Glaubwürdigkeit zu unterstreichen. »Ich geh ins Bett«, sagte sie und drückte ihrer Mutter, die gedankenversunken am Tisch saß, liebevoll einen Kuss auf die Stirn.

NUR FÜR EINEN ABEND

Mia erwachte und blickte zum Wecker. Es war bereits Mittag. Erschrocken richtete sie sich auf und riss die Decke von sich. Sie setzte sich auf die Bettkante und brauchte einen Moment, um sich zu sammeln. Dann nahm sie den roten Pullover und die schwarze Hose, zog sich an und ging in die Küche.

Sharon stand gut gelaunt am Herd und bereitete Pfannkuchen zu. Gabriel stand neben ihr und hantierte konzentriert an einem kleinen Roboter rum. »Guten Morgen, Sonnenschein. Hast du gut geschlafen?«, fragte Sharon und drückte ihr einen Kuss auf die Wange.

»Wieso bist du hier? Musst du nicht zur Arbeit?«, frage Mia sichtlich erstaunt und schaute Sharon verwirrt an.

»Liebes, heute ist Feiertag. Heute feiern wir das Lampionfest«, antwortete sie, warf einen Pfannkuchen in die Luft und fing ihn gekonnt wieder mit der Bratpfanne auf.

»Und ich habe gedacht, ich hätte verschlafen«, sagte Mia beruhigt und setzte sich an den reichlich gedeckten Tisch.

Sharon hatte sich große Mühe gegeben. Ein Korb mit herrlich duftenden Brötchen, Käse, Lachs, Früchte, Butter und verschiedene Sorten Konfitüre standen da. Sharon platzierte einen Krug mit Tee und eine Flasche Fruchtsaft auf dem Tisch.

Mia schnappte sich den Saft, goss ihn in das Glas vor ihr und trank in gierigen Schlucken. Sie beobachtete Gabriel. Er schien ganz vertieft in das Spiel mit dem Roboter zu sein. Ein Poltern ertönte und sie schaute erschrocken zur Küchentür.

»Da ist ja mein Eumelinchen!«, Georg, ihr Vater, stand im Türrahmen und schaute Mia mit einem breiten Lächeln im Gesicht an. »Papa«, sagte sie erstaunt und stellte das leere Glas hin. Sie hatte ganz vergessen, dass ihr Vater heute kommen würde. Er kam auf sie zu, drückte ihr einen Kuss auf die Stirn und setzte sich auf den freien Stuhl neben ihr. »Wie geht es meiner Langschläferin?«

»Gut«, antwortete sie und lächelte ihren Vater an.

»Papa, schau mal, er kann sogar seinen Kopf drehen«, sagte Gabriel begeistert und hielt seinen silbernen Roboter in die Luft.

»Woher hast du den?«, fragte Mia skeptisch.

»Papa hat mir den mitgebracht. Jetzt habe ich auch so einen tollen Roboter wie Leonard«, erklärte Gabriel sichtlich stolz und lachte Mia an.

»Für dich habe ich natürlich auch noch ein Geschenk, Mia«, bemerkte ihr Vater lächelnd und warf ihr einen verschmitzten Blick zu.

»Lass uns mal essen, bevor die Pfannkuchen kalt sind«, sagte Sharon und setzte sich ebenfalls an den Tisch.

Mia schnappte sich ein Brötchen und biss herzhaft hinein.

Der Nachmittag verlief angenehm. Dank dem schönen Wetter konnten sie zu viert im Garten sitzen und die warme Frühlingssonne genießen.

Georg zeigte Gabriel, wie man ein Vogelhaus an einem Baum befestigen konnte. Gabriel, immer noch fasziniert von seinem neuen Roboter, probierte aus, ob dieser auch ins Vogelhäuschen passen würde. Leider blieb der Kopf des Roboters aber im Loch des Vogelhäuschens stecken. Schlussendlich blieb ihnen nichts anderes übrig, als das gerade montierte Vogelhäuschen zu zerstören, um den Roboter befreien zu können.

Mia und Sharon lagen mit Sonnenbrillen in ihren Liegestühlen und amüsierten sich köstlich über die Roboter-Rettungsaktion.

»Hast du den Arzt schon angerufen?«, unterbrach Sharon die heitere Stimmung.

Mia nahm sich die Sonnenbrille ab und schaute ihre Mutter an. »Habe ich vergessen, werde ich aber gleich erledigen.« Sie machte eine kurze Pause und fragte dann: »Könnte ich nach dem Arzt noch kurz zu Lea gehen?«

Sharon sah sie perplex an. »Du siehst Lea heute Abend am Fest. Dein Vater ist endlich mal wieder hier und er möchte sicher auch noch Zeit mit dir verbringen.«

Mia schluckte und spielte gedankenverloren mit den Haltern ihrer Sonnenbrille.

»Warum musst du Lea denn sehen? Kann das nicht bis heute Abend warten?«

»Doch, sicher«, entgegnete Mia kleinlaut und verbarg ihr Gesicht hinter ihren Haaren.

Sie wollte nicht zu Lea. Sie wollte ins Krankenhaus, zu Caspar gehen. Aber nach der Diskussion von vergangener Nacht hatte sie keine Lust, sich nochmals mit Sharon darüber unterhalten zu müssen. Sie stand auf und ging ins Wohnzimmer, um ihr Handy zu holen. Vermutlich war es besser, Caspar für einen Moment aus den Gedanken zu verbannen. Gleichzeitig fühlte sie sich aber auch schlecht deswegen. Caspar lag im Krankenhaus. Was mit seinem Herzen war, wusste sie nicht genau. Aber es ging ihm nicht gut und deshalb würde sie gerne bei ihm sein. Sie holte tief Luft. »Nur für einen Abend«, sagte sie sich. Nur für einen Abend wollte sie versuchen, ihr Herz von ihm freizumachen. Sie zweifelte allerdings im selben Moment, als sie das dachte, ob ihr das jemals wieder gelingen könnte.

Sie fand ihr Handy auf der Küchenablage, mit einer Nachricht von Lea:

Hey Murmel! Wann wollen wir uns heute Abend treffen? Sollen wir uns vorher noch bei dir stylen? Dirk wird um acht Uhr vor dem Riesenrad auf uns warten. Küsschen Lea

Mia drückte die Nachricht weg. Sie würde sich später bei Lea melden.

Dann wählte sie die Nummer des Arztes und bekam von der freundlichen Frau am anderen Ende des Hörers auch prompt einen Termin für in zwei Stunden.

Als sie wieder in den Garten zurückging, klingelte ihr Handy. Leas Stimme erklang am anderen Ende. »Mia, sollen wir uns nun beim Riesenrad treffen oder soll ich vorher noch zu dir kommen, damit wir uns gemeinsam aufbrezeln können? Ich muss es jetzt wissen. Ich bin schon ganz nervös«, Lea sprach schnell und aufgeregt.

»Lea, ganz ruhig«, Mia lachte in den Hörer. »Hör mal, ich muss noch zum Arzt. Am besten treffen wir uns wohl am Fest. Kannst du das Ben noch mitteilen?«

»Klar«, gab Lea zur Antwort und fügte mit einer wesentlich ruhigeren Stimme hinzu: »Viel Glück beim Arzt. Und vergiss nicht, das Kleid von mir anzuziehen!«

»Werde ich nicht!«, versprach Mia und beendete das Gespräch.

»Ich habe gehört, dass du zum Arzt musst. Wann kannst du denn gehen?«, fragte Georg, der plötzlich neben ihr stand.

»Ich werde mich in ungefähr anderthalb Stunden auf den Weg machen.«

»Dann werde ich dich hinfahren«, sagte ihr Vater.

»Danke«, antwortete Mia erfreut.

Georg war die meiste Zeit der Fahrt ruhig. Zwischendurch sah er Mia kurz an und lächelte. »Wie geht es dir in der Schule?«, fragte er sie nach einer ganzen Weile.

»Gut«, antwortete sie kurz und knapp. Sie wusste nie wirklich, über was sie sich mit ihrem Vater unterhalten sollte. Er war ein liebevoller, besorgter Papa. Dadurch dass er aber wegen der Arbeit selten zu Hause war, fiel es Mia über die Jahre hinweg immer schwerer, ein ernsteres Gespräch mit ihm zu führen. Ganz zu schweigen davon, dass er ihre Teenager-Probleme wohl kaum verstehen würde.

»Verbringst du deine Zeit immer noch mit Lea und Ben?«

»Ja«, antwortete sie und schaute ihren Vater an.

Er schaute sie ebenfalls an und lächelte.

»Das ist gut«, meinte er und fügte hinzu: »Freunde sind wichtig.«

Die Arztpraxis war gut besetzt. Mia schnappte sich eines der Magazine und setzte sich neben ihren Vater.

Die Untersuchung verlief schnell und um einiges angenehmer, als sie erwartet hatte. Nach einigen Tests stellte der Arzt fest, dass sie bei bester Gesundheit und auch mit ihrem Herzen alles in Ordnung sei. Die Ohnmachtsanfälle führte er auf einen Eisenmangel zurück und ordnete deshalb an, dass die Arzthelferin ihr noch Blut abnehmen sollte.

Mia war so erleichtert darüber, dass alles in Ordnung war, dass sie ehe sie es mitbekommen hatte auch schon mit dem Auto in die Garageneinfahrt ihres Zuhauses einbogen.

»Ich habe dir ja noch ein Geschenk versprochen«, sagte George, noch bevor sie aus dem Auto steigen konnte.

Er parkierte das Auto, zog eine zierliche Kette aus der Tasche seines Vestons und überreichte sie ihr.

Es war eine silberne Kette mit einem Schutzengel-Anhänger.

»Weil ich leider nicht so oft bei euch sein kann, wie ich das gerne möchte, soll der kleine Schutzengel in meiner Abwesenheit gut auf meine kleine, große Tochter aufpassen«, sagte Georg und seine Stimme klang auf einmal verschnupft. Mia sah ihrem Vater in die Augen. Seine Augen waren wässrig.

»Danke, Papa«, murmelte sie. Eigentlich hätte sie ihm gerne noch etwas Tröstendes gesagt. Stattdessen umarmte sie ihn kurz und schenkte ihm ein aufmunterndes Lächeln. Tröstende Worte waren nicht so ihre

Stärke. Irgendwie brachte sie es meist fertig, die Situation dann noch zu verschlimmern, statt wie gewollt Trost spenden zu können. Wie ein Elefant im Porzellanladen. Eine Schwäche, die sie von ihrem Vater geerbt hatte. Und weshalb sie sich bei ihm auch nicht schlecht fühlen musste, wenn sie statt tröstender Worte lieber eine Umarmung schenkte.

Sharon erwartete sie schon neugierig in der Küche.

»Was hat der Arzt gesagt?«

»Nichts Schlimmes«, antwortete Mia zufrieden. »Er tippt auf einen Eisenmangel.«

»Ok«, meinte Sharon sichtlich erleichtert.

»Ich will jetzt Abendessen haben!«, schrie Gabriel. Er saß bereits am gedeckten Tisch und blickte verärgert in die Runde.

»Na dann«, sagte Georg und fügte ironisch hinzu: »Lasst uns essen, bevor der kleine Mann verhungert.«

Mia und Sharon mussten lachen.

Gabriel schaute ernst. »Mal schauen, ob ihr noch lacht, wenn ich verhungert bin.«

»Bei uns verhungert niemand«, sagte Sharon und wuschelte liebevoll durch Gabriels Lockenschopf.

DIE HITZE DER FURCHT

Das Lampionfest war in vollem Gange, als Mia mit Gabriel beim Riesenrad ankam, wo sie bereits von Ben, Dirk und einer aufgeregten Lea erwartet wurden. Mia umarmte Lea und flüsterte ihr ins Ohr: »Er himmelt dich an, Lea. Kein Grund also, nervös zu sein.«

Lea gab ihr einen Kuss auf die Wange und flüsterte zurück: »Danke.«

»Cooles Outfit. Gab es für die tolle Farbe gleich zwei für eins?«, witzelte Ben und musterte die Bekleidung von Mia und Lea mit einem amüsierten Gesichtsausdruck.

Mia hatte wie versprochen das orangefarbene Kleid, das sie von Lea bekommen hatte, angezogen.

»So gehen wir dir sicher nicht verloren, Ben!«, gab sie ihm spöttisch zur Antwort.

»Dirk muss bloß aufpassen, dass er mit der Richtigen unterwegs ist, wenn ihr euch heute als Zwillinge verkleidet habt«, antwortete Ben süffisant und legte seinen Arm um Mia. »Ich bin sicher nicht mit dem Richtigen unterwegs«, dachte sie sich und schaute zu Ben hoch, der sie liebevoll ansah. Sie spürte ganz plötzlich ein Stechen in der Brust. »Caspar«, schon war er wieder in ihren Gedanken. Sie erinnerte sich daran, wie schön es gewesen war, mit ihm unter dem Blütenbaum zu sitzen. Wie er ihr gesagt hatte: »Seit ich dich das erste Mal in der Schule gesehen habe, empfinde ich dieses Gefühl der Vollkommenheit.«

»Mia!«, rief Gabriel und zog an ihrem Kleid. »Wir wollen alle aufs Riesenrad. Du musst aber auch mitkommen!«

Mia schluckte leer. Ihr Blick wanderte das Riesenrad hoch. Ihre Augen weiteten sich erschrocken beim Gedanken daran, so hoch oben zu sein. Ben stupste sie liebevoll an. »Du hast doch nicht etwa Angst?« fragte er neckisch.

»Angst?«, entgegnete Mia und fügte hinzu: »Riesenangst trifft es wohl besser!«

»Komm schon, das wird lustig«, sagte Ben und zog sie in Richtung Kasse. Lea, Dirk und Gabriel liefen lachend hinter Ben und Mia her.

»Zwei Erwachsene und ein Kind bitte«, sagte Ben der rundlichen Kassiererin und fügte charmant hinzu: »Oder dürfen wir, weil wir erst sechzehn Jahre alt sind, auch den Kinderpreis zahlen?« Die Kassiererin ließ sich nicht von Bens Charme einwickeln und wiederholte schnippisch: »Zwei Erwachsene und ein Kind.« Ben murmelte etwas Unfreundliches vor sich hin und bezahlte.

»Lass dich doch von der nicht ärgern. Die hat einfach keinen Spaß an ihrem Job«, sagte Mia aufmunternd.

»Von der lass ich mir doch den Spaß nicht nehmen«, grummelte Ben vor sich hin.

»Danke, Ben, du bist der Beste!«, rief Gabriel freudig.

Mia blickte zurück. Dirk kaufte die Eintrittskarten für sich und Lea und schien sich ebenfalls über die Kassiererin zu nerven. »Die hat ja schlechte Laune«, sagte er, als sie bei Mia, Ben und Gabriel ankamen.

»Los einsteigen!«, rief Gabriel und zeigte nervös auf eine leere Gondel. »Gabriel, wir hören dich, du musst nicht immer rumschreien.« Mia schaute ihren Bruder ernst an. Sie hatte überhaupt keine Lust, Riesenrad zu fahren. Gabriel blickte erschrocken über die schlechte Laune von Mia traurig zu Boden.

»Jetzt sind wir alle lieb miteinander und steigen ein. Gabriel, wo möchtest du sitzen?«, fragte Ben und sah ihn aufmunternd an. »Da!«, sagte Gabriel laut, hüpfte in die Gondel und nahm Platz. »Jetzt schreit er schon wieder rum!«, raunzte Mia, verdrehte die Augen und setzte sich neben ihren Bruder.

»Dann quetsche ich mich auch noch zu euch rein«, sagte Ben und setzte sich etwas ungeschickt auf den leeren Platz neben ihr. »Schön kuschelig hier«, witzelte er und guckte zufrieden zu ihr hinunter. »Du verlierst wenigstens nie deinen Humor«, entgegnete sie und bewunderte Ben insgeheim für seinen Optimismus.

Lea und Dirk nahmen ihnen gegenüber Platz und teilten sich eine Zuckerwatte. Die beiden wirkten sehr glücklich. Mia lächelte und sah zu Gabriel hinunter. »Es tut mir leid, kleiner Mann. Ist wohl einfach nicht mein Tag.«

»Schon gut. Du kannst mir ja nachher noch eine Zuckerwatte kaufen«, antwortete Gabriel frech.

»Du nützt wohl mein schlechtes Gewissen aus?«, stellte Mia kritisch fest und sah ihn gespielt entrüstet an.

»Vielleicht«, gab Gabriel eigensinnig zur Antwort und unterstrich seine Selbstzufriedenheit, in dem er seine Arme verschränkte, sein Kinn stolz anhob und in die Ferne blickte. Ben lachte selbstzufrieden vor sich hin und erklärte: »Er hat nur vom Besten gelernt!«

»Wer ist denn der Beste?«, fragte sie amüsiert nach, um das Spiel mitzuspielen.

»Na, das bin ja wohl selbstverständlich ich«, antwortete Ben und tat es Gabriel gleich, indem er ebenfalls die Arme verschränkte, sein Kinn anhob und in die Ferne blickte.

»Ihr seid doch beide meine Besten!«, antwortete sie.

Das Riesenrad setzte sich langsam in Bewegung. Mia erschrak und verschränkte ihre Arme schützend vor ihrem Oberkörper. Gabriel jauchzte vor Freude. Ihre Gondel hob sich immer höher empor. Ganz Kentää, Valmostaat und Kultainen waren zu sehen.

»Schau mal, Mia, dort hinten ist unser Zuhause!«, rief Gabriel erfreut.

»Und dort«, sein Finger zeigte weiter südlich, »ist unsere Schule und dort sieht man das Krankenhaus!«

Sie spürte beim Wort Krankenhaus ein Unbehagen. Sie sah Caspars Gesicht vor sich und sein bezauberndes Lächeln. Ihr Magen verkrampfte sich beim Gedanken an ihn. *Vielleicht sollte ich ihn nochmals besuchen.* Die Sehnsucht nach ihm versetzte ihrem Herzen einen brennenden Stich. Am liebsten hätte sie sich gleich auf den Weg zu ihm gemacht. *Ich kann jetzt nicht einfach gehen. Die anderen sind sonst sicher verärgert. Ich versuche einfach nicht mehr an ihn zu denken«*, sie biss sich gedankenverloren auf die Unterlippe.

Das Riesenrad drehte drei Runden, die Mia wie Stunden erschienen. Als die Gondel endlich polternd zum Stillstand kam und Ben sich neben ihr aufrichtete, konnte sie es kaum erwarten, aus der Gondel zu kommen, um wieder festen Boden unter den Füßen zu spüren.

»Das war doch super!«, sagte Lea und tänzelte glücklich neben Mia her.

»Ich besorg uns allen mal einen Lampion. In ein paar Minuten geht es nämlich los«, sagte Ben und zog mit Gabriel und Dirk im Schlepptau zu den Lampionständen.

Die orangefarbenen Lampions wurden jeweils kurz nach Einbruch der Dämmerung auf den See gelassen.

»Ich hoffe, Dirk bringt nur einen Lampion mit, dann können wir ihn gemeinsam aufs Wasser lassen. Das wäre doch romantisch«, flötete Lea mit einer zuckersüßen und verträumten Stimme neben Mias Ohr. Mia lächelte ihre Freundin an. Sie freute sich über Leas Glück. Noch mehr würde sie sich freuen, wenn Lea und Dirk zusammenkommen würden. Lea hätte einen guten Freund verdient. Über Caspar wollte sie aber mit

Lea im Moment nicht mehr reden. Sie hatte das Gefühl, als könnte sowieso niemand verstehen, was in ihr vorging.

»*Warum kann ich nicht einfach ganz normal verliebt sein? Weshalb verfalle ich gleich in eine Form der Abhängigkeit zu einem Menschen, den ich erst seit kurzem kenne? Das ist ja wieder einmal typisch für mich.*« Sie ärgerte sich in Gedanken über sich selbst.

»Die sind aber schön!«, rief Lea erfreut und hielt Mia eine orangefarbige und leuchtende Papierlaterne vors Gesicht.

»Ich bin der Einzige, der einen Lampion für sich alleine hat«, sagte Gabriel stolz.

»Wir waren wohl etwas spät dran«, erklärte Ben: »Es hatte nur noch drei Lampions übrig. Mia, ich habe mir gedacht, wir können ja gemeinsam einen aufs Wasser lassen.«

»Ja, können wir«, antwortete Mia.

Die fünf liefen lachend Richtung Seeufer, an dem sich bereits viele Leute versammelt hatten. Eine Leuchtrakete wurde gezündet, als Zeichen dafür, dass nun die Lampions aufs Wasser gelassen werden durften.

Mia sah zu Lea und Dirk. Die beiden hielten gemeinsam ihren Lampion und sahen sich verliebt an. Gabriel kniete auf dem feinen Sand des Seeufers und ließ seinen Lampion hochkonzentriert und vorsichtig auf die Wasseroberfläche gleiten. Ben hielt Mia den Lampion entgegen, sah sie an und fragte: »Bereit?«

»Bereit!«, rief Mia erfreut.

Sie hielten die Papierlaterne gemeinsam und bückten sich langsam hinunter, um sie dann sanft auf das Wasser zu lassen.

Der Lampion wurde schnell von kleinen Wellen erfasst und mit den anderen Lampions in die Mitte des Sees getrieben. Eine angenehme Stille herrschte plötzlich. Alle sahen gebannt auf die auf der Wasseroberfläche schwimmenden Lichter. Fast schon wirkten die kleinen orangefarbenen Lichter so, als würden sie tanzen.

Mia schaute selbstvergessen den See mit den Lichtern an. Die kleinen, wiegenden Wellen hatten etwas Beruhigendes. Sie tauchte ihre Fingerspitzen ins Wasser. Es war kälter, als sie gedacht hatte. Jemand stupste sie an und riss sie aus ihrer Ruhe.

»Gabriel rennt davon«, hörte Mia Ben sagen. Sie drehte ihren Kopf nach links und sah in der Ferne einen Lockenschopf beim Ufer des Sees im Wald verschwinden.

»Gabriel!«, schrie Mia augenblicklich und stand auf. »Ich bin gleich wieder bei euch«, sagte sie an Ben gewandt und rannte los in Richtung Wald.

Im Wald war es fast schon dunkel. Sie rannte genervt den Hügel hinauf zwischen den Bäumen hindurch. »Gabriel!«, schrie sie in den Wald hinein und blieb stehen, um neuen Atem zu holen.

»Gabriel!«, rief sie erneut und schaute um sich. Sie sah nur Bäume und Sträucher. Dann rannte sie noch tiefer in den Wald hinein. Der Boden war ganz aufgeweicht und sie musste langsam gehen, um auf dem herumliegenden, glitschigen Geäst nicht auszurutschen. Sie spürte, wie langsam Panik in ihr hochstieg. Sie schrie abermals verzweifelt Gabriels Namen in den Wald hinein.

»Mia!«, aus der Ferne vernahm sie Gabriels Stimme. Sie rannte in die Richtung, aus der er gerufen hatte. Der Wald lichtete sich langsam. Die Bäume standen immer vereinzelter.

»Mia!«, Gabriels Stimme schien ganz nah. Sie drehte ihren Kopf nach rechts und sah ihn.

Er umklammerte mit beiden Armen einen Baum an einem Felsvorsprung und bewegte hastig seine Füße, um nicht den Halt auf der matschigen Erde zu verlieren. Sie atmete erleichtert auf und lief auf ihn zu.

»Ich rutsche aus!«, schrie er plötzlich und schaute sie ängstlich an.

»Halt dich fest, ich bin gleich bei dir«, rief Mia und rannte eilig auf ihn zu. Noch bevor sie bei ihm war, verloren seine Füße den Halt. Er fiel nach hinten, ruderte mit den Armen, rief nach Hilfe und stürzte rückwärts den Felsvorsprung hinunter. Ein lautes Platschen ertönte.

Sie schluckte fassungslos, der Schrei blieb ihr im Hals stecken. Sie lief zum Rande des Hügels und sah erschrocken am Felsen hinunter. Der Lake Kutamo schlug Wellen gegen die Felswand. Sie schloss die Augen, holte ohne weiter zu zögern tief Luft und sprang hinunter.

Das kalte Nass umschloss ihren Körper. Sie öffnete die Augen. Im dunkelgrünen Wasser konnte sie nicht viel erkennen. Panisch blickte sie um sich. Gabriel war verschwunden. Mia spürte die Angst in jeder Faser ihres Körpers. Sie tauchte auf, holte Luft, um tiefer hinuntertauchen zu können, und fühlte, trotz des kalten Wassers, wie die Hitze der Furcht ihren Körper durchströmte. Von Panik ergriffen sah sie verzweifelt in alle Richtungen. Doch sie konnte nur dunkelgrünes Wasser und Algen erkennen. Angsterfüllt tauchte sie noch weiter hinunter in die Tiefen des Sees und schaute um sich. Sie tauchte so tief, dass sie auf einmal spüren konnte, wie die Panik langsam, aber sicher ihren Körper verließ. Dann fühlte sie plötzlich gar nichts mehr.

BIS ANS ENDE DER TAGE

Eine Hand strich sanft über ihre Stirn. Sie hörte ein gleichmäßiges Atmen und ein leises Lächeln. Ihr Kopf war auf etwas Weiches gestützt. Ein vertrauter, betörender Duft drang in ihre Nase. Sie blickte nach oben und sah in karamellfarbene Augen. »Ich liebe es, über dein Haar zu streichen. Du wirkst dann immer so entspannt«, sagte der Junge.

»Du bist Coel nicht wahr?«, fragte Mia den Jungen und konnte ihren Blick nicht von seinen bezaubernden Augen lassen.

»Ja, ich bin Coel und du bist Aurora«, sagte Coel. Sie schloss die Augen, genoss sein sanftes Streicheln über ihre Wange und lächelte. Ihren Kopf in seinem Schoss fühlte sie sich sicher und geborgen. Sie blinzelte und sah den Jungen an. Die Hälfte seines Gesichts wurde von einem Buch verdeckt.

»Was liest du da?«, fragte sie interessiert.

»Narcisse ou l'Amant de lui-même von Jean-Jacques Rousseau«, antwortete Coel.

»Das klingt ja richtig gebildet.«

»Das ist Rousseau. Ein wichtiger Schriftsteller, Aurora«, erwiderte Coel leicht genervt. Mia presste die Lippen zusammen. »Ich weiß, dass du gerne Rousseau liest. Du sprichst ja oft mit Andariel über ihn«, sagte sie und war im selben Moment erschrocken über das, was sie gesagt hatte. *Woher weiß ich das?*«, fragte sie sich.

»Ja, einer der Gründe, weshalb Andariel mein bester Freund ist. Habe ich wenigstens einen Intelligenten, mit dem ich mich austauschen kann«, witzelte Coel und stupste Mia mit dem Zeigefinger auf die Nase. Sie rümpfte die Nase und musste niesen.

»Du bist so süß«, flüsterte er und lächelte sie an.

»Und weiter? Was bin ich noch?«

»Intelligent bist du, meine Aurora«, antwortete er in einem liebevollen Ton und strich ihr übers Haar. Er legte das Buch zur Seite und sagte: »Setz dich bitte kurz auf, meine Liebste.«

Mia tat wie ihr geheißen und setzte sich auf. Erst jetzt bemerkte sie, dass sie sich auf einer weißen Schaukel auf einer Holzveranda befanden.

Sie schaute an ihrem Körper hinunter. Sie trug ein hellblaues knielanges Kleid mit langen Ärmeln.

Mia räusperte sich leicht verwirrt und sah Coel gespannt an.

Er trug dunkelbraune Hosen, einen schwarzen Mantel und darunter blitzte ein weißes Hemd hervor, bei dem die obersten drei Knöpfe geöffnet waren. Der Blick auf die nackte Stelle seiner alabasterfarbenen Haut war so bezaubernd, dass Mia ihn fasziniert ansah.

Coel erhob sich bedächtig, um sich dann langsam vor ihr hinknien zu können. Seine Hand griff in die Tasche seines schwarzen Mantels. Ein glitzernder, halbmondförmiger Diamant kam zum Vorschein. Mia hielt den Atem an. Coel holte tief Luft und sah ihr in die Augen. Einen Moment lang herrschte gespanntes Schweigen.

»Aurora, mit dem Segen deines Vaters knie ich hier vor dir. Du bist der Sonnenaufgang all meiner Tage. Du bist die Sonne zu meinem Mond. Du bist das Licht, der Atem, der Sinn meines Seins. Ich liebe dich im Gestern, im Heute, im Morgen und in der Ewigkeit. Dies ist das Versprechen meines Herzens an deines. Möchtest du meine Frau werden, Aurora?«

Coels Hand, in der er den Ring hielt, zitterte. Seine Unterlippe bebte. Seine Augen schauten sie erwartungsvoll an. Mia stockte der Atem. Mit ihrer linken Hand hielt sie sich an der Armlehne der Schaukel fest.

Eine warme, vertraute Energie durchfuhr ihren Körper. Es fühlte sich an, als würde sich eine verstaubte Wahrheit den Weg an die Oberfläche ihres Herzens bahnen. Sie war Aurora. Und während sie in die wundervollsten Augen blickte, die sie je gesehen hatte, fühlte sie sich so zuhause wie noch nie zuvor. Er war die andere Hälfte zu ihrem unvollkommenen Teil.

»Ja«, antwortete sie mit einer ihr unbekannten Sicherheit, »ich will.«

Coel atmete erleichtert auf. Sanft nahm er ihre Hand in die seine, um ihr bedächtig den halbmondförmigen Ring an den Finger zu stecken. Er hielt einen Moment inne und flüsterte: »Er sieht wundervoll aus an deiner Hand«, dann umfasste er liebevoll ihren Kopf mit seinen beiden Händen und küsste sie auf die Stirn. Eine ganze Weile verweilte er mit seinen Lippen an ihrer Stirn. Ihr Körper bebte. Plötzlich stand er auf, hob sie in die Luft und drehte sich lachend mit ihr auf den Armen im Kreis.

»Guten Tag, ihr beiden.« Mia vernahm die Stimme einer Frau.

»Hallo, Elva«, sagte Coel an die Frau gewandt.

»Lass mich runter, Coel«, sagte Mia lachend und tippte ihm sanft mit dem Zeigefinger auf die Schulter.

Elva stand unterhalb der Veranda. Sie trug eine hellblaue bodenlange

Robe mit einem schwarzen Band oberhalb der Hüfte. Ihr schwarzes Haar hatte sie kunstvoll hochgesteckt und mit einzelnen Perlen geschmückt. In der Hand hielt sie einen Korb. Der Inhalt des Korbes war von einer weißen Spitzendecke verdeckt.

»Habt ihr was zu feiern?«

»Ja, Elva, das haben wir. Aurora und ich haben uns verlobt.«

»Oh, das freut mich zu hören«, sagte Elva, stieg die Treppen der Veranda hoch und umarmte Mia. »Ich gratuliere, Coel«, fügte sie lächelnd hinzu und schüttelte ihm die Hand.

»Aber jetzt bist du ja für die Vorbereitung deiner Hochzeit bei uns, Elva.«

»Ja, ich möchte nur noch ein paar Dinge für mein Hochzeitskleid mit Aurora besprechen. Natürlich möchte ich euch aber nicht von eurer Freude abhalten.«

»Wir werden die Freude noch lange genießen können, meine Liebe. Aber danke dir für deine Rücksicht. Nun, dann lasst euch nicht aufhalten, meine Damen«, sagte Coel und zwinkerte Mia liebevoll zu.

»Andariel sollte auch bald hier eintreffen. Ich habe ihn darüber unterrichtet, dass ich mich bei euch befinden würde«, ergänzte Elva. Mia runzelte die Stirn: »*Wieso sprechen hier alle so geschwollen?*« Ihr Blick wanderte über die Bekleidung von Coel und Elva. »*Die Kleidung ist bestimmt nicht aus diesem Jahrhundert*«, dachte sie und wunderte sich gleichermaßen darüber, dass sie sich bis zu diesem Zeitpunkt keinerlei Gedanken gemacht hatte über all das, was sich gerade vor ihren Augen abspielte.

Das Gefühl, das ihr die Gegenwart von Coel verlieh, war stärker als alle Fragen und Ängste.

»Dann gehen wir ins Haus?«, fragte Elva und richtete ihren Blick auf Mia.

»Ja, wir gehen ins Haus«, antwortete Mia.

»Meine Damen, geht besser in die Wärme, der Wind ist heute ziemlich heimtückisch«, stellte Coel fest.

Sie gingen durch die Eingangstür und betraten die große Halle. Mia schaute sich um. An den Wänden hingen Bilder von Personen, die sie nicht kannte, sowie Wappen und Wandkerzenhalter. In der Mitte des Raumes befand sich eine Treppe, die zu den oberen Räumlichkeiten führte. Das gesamte Treppengeländer bestand aus einem einzigen Motiv, dem Unendlichkeitszeichen. Auf der ersten Stufe der Treppe lag eine

Zeitung. Mia hob sie auf. Die schwarze Tinte auf dem Papier offenbarte das Datum 18. Mai 1793.

Jetzt da Coel nicht mehr in ihrer Nähe war, fühlte sie sich unsicher. Sie merkte, wie Angst in ihr hochstieg. *»Wo bin ich hier? Träume ich?«*

»Gehen wir hoch?«, fragte Elva, die hinter ihr stand.

»Ja«, sagte Mia nachdenklich.

»Das kann nur ein Traum sein«, dachte sie, um sich selbst zu beruhigen, während sie die Treppe hinauflief. Ohne sich weiter darüber zu wundern und als würde sie sich auskennen, lief sie oben angelangt schnurstracks links und betrat das zweite Zimmer auf der rechten Seite des Korridors.

Der lichtdurchflutete Raum hatte ein großes Fenster, vor dem an beiden Seiten schwere dunkelgrüne Vorhänge angebracht waren. An den hölzernen Wänden hingen große Spiegel mit vergoldeten Rahmen. Mitten im Zimmer befanden sich ein kleiner goldener Tisch und zwei Stühle. In der rechten Ecke stand eine Anziehpuppe mit einem roten Samtkleid.

»Ich wünsche mir auch mal einen Ankleideraum«, sagte Elva, die nun direkt neben Mia mitten im Raum stand.

Mia setzte sich tonlos auf einen der beiden mit rotem Samt überzogenen Stühle und schaute Elva an.

»Ich hoffe Andariel und ich können bald in das Herrenhaus seines Vaters ziehen. Dann habe ich auch endlich meinen eigenen Ankleideraum«, fuhr Elva in einem verträumten Ton fort.

»Ja, aber jetzt kannst du dich ja erst einmal auf deine Hochzeitsfeier freuen«, hörte Mia sich selbst sagen.

»Ich freue mich auf die Hochzeit. Es ist schließlich nicht jedem vergönnt, der Liebe wegen zu heiraten«, antwortete Elva.

»Ja«, antwortete Mia, obschon sie den Grund für ihre Antwort nicht verstand. *»Wieso sollte man sonst heiraten?«*, dachte sie bei sich.

»Ich freue mich auch sehr für dich und Coel«, fügte Elva hinzu und hielt ihr eine Haarspange mit blauen kleinen Kristallen entgegen.

Mia nahm die Haarspange in die Hand. Das Sonnenlicht ließ die Kristalle wunderschön funkeln.

»Die habe ich von Andariels Mutter bekommen, damit ich etwas Altes und Blaues für die Hochzeitsfeier habe. Wie findest du sie?«, fragte Elva und schaute Mia gespannt an.

»Sie ist wundervoll«, sagte Mia fasziniert.

Elva platzierte den Korb, den sie in der Hand hielt, auf dem kleinen goldenen Tisch. Sie entfernte die Spitzendecke vom Korb und nahm einen weißen Stoff heraus. Mia runzelte fragend die Stirn. Elva faltete den weißen Stoff behutsam auseinander und hielt ihn in die Höhe.

»Ist es nicht wunderschön?«, fragte Elva und schaute voller Entzücken auf das weiße Hochzeitskleid, das sie in den Händen hielt.

Das schlichte Seidenkleid hatte Puffärmel und auf der Höhe der Taillen ein Seidenband, das mit kleinen eingestickten silbernen Blumen verziert war.

»Es ist wirklich schön«, erwiderte Mia.

»Wenn es dir genehm ist, würde ich es dir gerne angezogen zeigen. Dann kann ich später noch allfällige Änderungen anbringen.«

»Dann lass ich dich alleine, damit du dich umziehen kannst«, antwortete Mia, ging aus dem Raum und rannte hastig die Treppenstufen hinunter in die Eingangshalle.

Sie wollte so schnell wie möglich wieder bei Coel sein. Sie schaute um sich und ging in das Zimmer, das rechts von ihr gelegen war. Der Raum kam ihr merkwürdig bekannt vor. Die Wände des Zimmers waren aus dunklem Holz. Neben der Tür stand ein helles Schrankmöbel. Sie hörte ein lautes Knistern und drehte ihren Kopf in Richtung des knisternden Geräusches. Auf der rechten Seite in der Mitte der Wand war ein Kamin. In die leicht hervorstehenden Steinmauern des Kamins waren Engel auf Pferden gemeißelt. »Ich war schon mal in diesem Raum«, dachte sie und fasste sich verwirrt an den Kopf.

»Aurora, hier bin ich«, vernahm sie hinter sich die Stimme von Coel. Sie drehte sich um und sah Coel im gegenüberliegenden Raum auf dem Sofa sitzend und mit einem Buch in der Hand. Mia lief durch die Eingangshalle zu Coel in das Zimmer, schloss die hölzerne Tür hinter sich und setzte sich neben ihn auf das Sofa.

»Hier gibt es aber viele Sitzmöglichkeiten«, dachte sie laut.

Coel sah sie verdutzt an und schüttelte lächelnd den Kopf. »Du wolltest, dass wir in diesem Raum ein weiteres Sofa haben, Aurora«, sagte er und strich ihr mit der linken Hand liebevoll eine braune Haarsträhne aus dem Gesicht.

Sie sah in seine lachenden, halbmondförmigen Augen. Als er ihren Blick erwiderte, wurde sie verlegen. Nervös zupfte sie an den Ärmeln ihres hellblauen Kleides und musterte den Raum.

An dem großen Fenster waren an beiden Seiten schwere dunkelgrüne Vorhänge angebracht. Neben dem Fenster stand eine große, massive Stehuhr aus dunkelbraunem Holz. Mia sah dem goldenen Uhrpendel zu, wie es sich hin und her bewegte. Der Klang des Pendels wirkte beruhigend.

Plötzlich schien sich die Stehuhr zu bewegen. Die ganze Umgebung begann vor ihren Augen zu flimmern und sich langsam aufzulösen.

Sie rieb sich die Augen und schaute verwirrt im Raum umher.

Das Flackern hatte nicht aufgehört. Es sah genau so aus, wie wenn im Hochsommer die Sonne den Asphalt flimmern lässt, nur das hier der ganze Raum zu flackern schien.

Sie spürte, wie Hitze ihren Körper hochwanderte.

»Was passiert hier?«, fragte sie sich und schaute nervös in Coels karamellfarbene Augen.

Sie bekam es plötzlich mit der Angst zu tun und ihr Herz begann wie wild zu pochen.

»Du schwitzt ja, Aurora«, stellte Coel besorgt fest. Er nahm ihren Kopf in seine Hände und berührte mit seiner Stirn die ihre. Sein regelmäßiger Atem wirkte beruhigend und erinnerte sie an Marzipan. Seine Haut roch betörend nach frischem Zedernholz.

Mia schloss die Augen und atmete seinen hinreißenden Duft ein.

Sie spürte, wie sich ihr Körper langsam beruhigte.

Eine ganze Weile saßen sie so da.

ZU SPÄT

Als sie ihre Augen wieder öffnete, saßen sie immer noch Stirn an Stirn. Sie verharrte bewegungslos und tastete mit ihren Augen den Raum ab.

Alles wirkte wieder normal. Sie atmete tief aus und fühlte sich wieder beruhigt.

»Riechst du das auch?«, fragte Coel plötzlich und richtete sich auf.

»Nein, ich höre nur ein Knistern.«

Coels Augen weiteten sich erschrocken. Tonlos sprang er auf, rannte zur geschlossenen Tür und öffnete sie blitzschnell.

Sofort drang Rauch in den Raum. Mia schaute zur offenen Tür. Sie erschrak über ihren eigenen, ohrenbetäubenden Schrei.

Der ganze Eingangsbereich und der dahinterliegende Raum brannten, das Feuer breitete sich in Windeseile aus, züngelte unglaublich schnell die Wände hoch und erfasste bald schon die Türrahmen ihres Zimmers.

Sie saß regungslos auf dem Sofa und schaute schockiert auf das riesige Feuer.

»Nicht einatmen!«, schrie Coel ihr zu.

Er rannte zu ihr hin, umfasste ihre Taille und hob sie blitzschnell hoch.

Sie hörte Scherben klirren und fühlte in der nächsten Sekunde einen dumpfen Aufschlag.

Coel hatte die Fensterscheiben eingeschlagen und war mit ihr auf dem Arm aus dem Fenster des Erdgeschosses gesprungen.

Er rannte vom Haus weg. Sie hörte seine schnellen Schritte und sein hastiges Atmen.

»Elva ist noch im Haus!«, schrie Mia auf einmal.

»Was!«, rief Coel bestürzt und setzte Mia auf der Wiese ab.

Fassungslos schauten sie auf das lichterloh brennende Haus.

Coel atmete tief ein und rannte los.

»Nein!«, schrie Mia entsetzt. Sie sah ihm verzweifelt hinterher, wie er im Feuer verschwand.

Einige Sekunden stand sie da und schaute wie hypnotisiert auf das in Flammen stehende Haus, in dem Coel eben verschwunden war. Plötzlich packte sie eine Hand an der Schulter.

»Was ist hier passiert?«, Mia drehte sich um. Ein junger Mann mit schwarzen Haaren und panischem Gesichtsausdruck stand vor ihr. Sein Blick traf den ihren und seine schwarzen Augen durchfuhren Mias Körper unangenehm.

Der Mann packte sie mit beiden Händen an den Armen und schrie: »Was ist hier passiert? Wo ist Elva?«

Sie spürte, wie Tränen in ihre Augen stiegen. Wortlos blickte sie den Mann an. Ein Knall ertönte und Mias Wange brannte. Der Mann hatte ihr eine Ohrfeige gegeben.

Abermals packte er sie an den Armen und schüttelte sie.

»Aurora, wo ist Elva? Wo ist Coel?«

»Andariel!«, ertönte Coels Stimme. »Lass sie sofort los!«, befahl er wütend.

Andariel ließ die Arme sinken und rannte Coel entgegen.

»Wo ist Elva?«, schrie er in panischer Angst.

Coel legte seine Hände auf Andariels Schultern.

Mia schaute die beiden durch einen Schleier aus Tränen an. Im Licht der Abenddämmerung konnte sie sehen, dass Coels Haut an beiden Armen aufgerissen war und blutete. Der Stoff seines weißen Hemdes hing rußbedeckt und in Fetzen von seinem Körper.

»Andariel ... ich kam zu spät«, sagte Coel.

»Was soll das heißen?«, fragte Andariel schockiert.

Coel ließ seinen Blick betroffen zu Boden sinken: »Ich konnte nicht mehr zu ihr in die oberen Stockwerke durchdringen. Das Feuer ist zu stark.«

»Nein«, sagte Andariel mit einer eiskalten, belegten Stimme. Ein markerschütternder Schrei drang aus seiner Kehle und er sank zu Boden.

Coel kniete sich zu ihm hinunter und flüsterte: »Es tut mir unendlich leid. Vergib mir mein Freund.«

Mia schluckte leer und schaute die beiden betroffen an.

»Was tut dir leid?«, schrie Andariel, stand auf und stürzte sich wutentbrannt auf Coel.

Andariels Fäuste hagelten auf Coel hinunter.

»Nein!«, schrie Mia zornig und sprang auf Andariels Rücken. Sie biss ihm in die Schultern.

Andariel schrie auf, packte sie mit seinem linken Arm und warf sie zu Boden. Der Aufprall verschlug ihr für wenige Sekunden den Atem. Sie rang nach Luft und drehte ihren Kopf zu Coel. Er lag regungslos da und sein Gesicht war voller Blut. Dann sah sie zu Andariel. Sein leerer Blick war auf den vor ihm liegenden Coel gerichtet. Ihre Augen füllten sich mit Tränen. Wütend grub sie ihre Finger in die Wiese und spürte, wie sich ihr Puls beschleunigte.

Plötzlich stand sie auf, rannte abermals auf Andariel zu und rammte ihm mit aller Kraft die Faust ins Gesicht.

Seine Knie schienen für einen kurzen Moment zu versagen, bevor er das Gleichgewicht wiederfand. Seine schwarzen Augen sahen sie hasserfüllt an. Er packte sie am Hals, schlug ihr mit der Faust in den Bauch und warf sie abermals zu Boden.

Ein schmerzerfülltes Gurgeln drang aus ihrer Kehle. Sie schaute durch einen Schleier aus Tränen verzweifelt und hilflos zu Coel.

»Du konntest meine Elva nicht retten?«, fragte Andariel den am Boden liegenden, blutüberströmten Coel, griff in seine Manteltasche und zog eine Steinschlosspistole hervor.

Er richtete den Lauf auf dessen Kopf.

Mias Augen brannten vor Wut. Sie versuchte aufzustehen, aber der Schmerz in ihrem Bauch ließ sie wieder zu Boden sinken.

»Nein!«, schrie sie unter Tränen. Sie grub ihre Finger ins Gras, stützte sich auf ihre Ellenbogen und kroch langsam nach vorne, um zu Andariel zu gelangen. Bei jeder Bewegung entrang sich ihrer Kehle ein qualvoller Laut. Als sie ihn erreichte, hob sie ihren Kopf zu ihm hoch.

»Nein!«, schrie sie abermals verzweifelt.

Er schaute ihr regungslos in die Augen und lächelte sie an.

Ein ohrenbetäubender Knall ertönte.

Mia schrie, als hätte man ihr mit bloßer Hand das Herz aus der Brust gerissen.

Unter Coels goldblonden Haaren quoll dunkelrotes Blut auf die grüne Wiese.

Sie sah Andariel hasserfüllt an.

Er hob seinen Arm und hielt den Lauf der Pistole an seine Schläfe. Sein hysterisches Lachen wurde von einem weiteren Knall durchbrochen, bevor sein Körper neben Coel zusammenbrach.

Ein qualvoller Schmerz umfasste ihren Oberkörper und etwas Schweres drückte unangenehm auf ihren Brustkorb. Sie fühlte ein Brennen in ihren Lungen und hörte ihr eigenes, schmerzerfülltes Keuchen. Ihre Augen öffneten sich schreckgeweitet. Sie setzte sich auf und erbrach.

Eine Hand schlug sanft auf ihren Rücken. »Mia!«, hörte sie eine bekannte Stimme aufschreien.

Irgendjemand strich ihr ihre nassen Haare aus dem Gesicht. Ihre Augen füllten sich mit Tränen. »Coel!«, stieß sie schreiend hervor und sah sich verwirrt um. Doch bevor sie verstehen konnte, was um sie herum geschah, spürte sie, wie jemand eine Decke wärmend um ihren Körper legte.

»Nun hast du mir aber auf Lebenszeit genügend Schrecken eingejagt«, sagte eine Stimme liebevoll. Mia schaute hoch und sah in die besorgten Augen von Lea.

»Du hast uns eine riesen Angst bereitet« ergänzte Ben und seine Stimme klang sehr ernst.

»Mia, wir hatten solche Angst um dich«, sagte Gabriel und umarmte sie.

»Deine Haare sind ja ganz nass«, stellte Mia fest, als sie Gabriel ansah. Gabriel lächelte sie besorgt an.

Sie versuchte ebenfalls zu lächeln, doch ihr Körper schien aller Kraft beraubt. Sie zog die Decke enger um ihren Körper, schloss die Augen und glitt hinüber in einen traumlosen Schlaf.

Die Suche nach der Erinnerung

Als Mia erwachte, bestrahlte die späte Morgensonne wärmend ihr Gesicht. Sie blinzelte, setzte sich auf und stellte fest, dass sie in ihrem Zimmer war.

Sie schaute an sich herunter und fragte sich, wie sie an ihr blaues Nachthemd gelangt war.

Die Tür öffnete sich und Lea trat hinein.

»Wie geht es dir?«, fragte sie mit sanfter Stimme und setzte sich neben ihr auf das Bett.

Mia fasste sich verwirrt an den Kopf. »Was ist denn passiert? Ich weiß nur noch, dass ich hinter Gabriel hergerannt bin.«

»Ja, er ist in den Wald gerannt und du bist ihm hinterhergegangen. Nach einiger Zeit kehrte Gabriel durchnässt zu uns zurück. Ben hat dann nach dir gefragt und Gabriel meinte daraufhin, er hätte erwartet, dich bei uns anzutreffen, und dass er dich zuletzt gesehen hätte, kurz bevor er in den Lake Kutamo gefallen sei. Daraufhin ist Ben in den Wald gestürmt«, erzählte Lea und seufzte.

»Und dann?«, fragte Mia.

»Dann sind wir ihm natürlich gefolgt und während wir den Wald durchsuchten, meinte Ben, dass du sicher hinter Gabriel in den See gesprungen seist, um ihm zu helfen. Also sprang Ben den Felsvorsprung hinunter, um nach dir zu suchen«, Leas Stimme klang plötzlich bedrückt. Tränen stiegen ihr in die Augen. Sie holte tief Luft und fuhr mit weinerlicher Stimme fort: »Es war so schrecklich. Immer wieder ist Ben aufgetaucht, um Luft zu holen. Wir alle standen oben am Felsvorsprung und haben ihm verzweifelt dabei zugesehen. Wir hätten alle ebenfalls runterspringen müssen, um dich zu suchen. Stattdessen haben wir einfach schockiert dagestanden und haben Ben alleine nach dir suchen lassen«, sagte Lea weinend und vergrub ihren Kopf schuldbewusst in ihren Händen.

»Es tut mir so leid, Lea, dass ich euch solche Angst bereitet habe.«

»Ich dachte, du seist tot!«, fuhr Lea unter Tränen fort, »und dann, nach einer Ewigkeit, so schien es mir, tauchte Ben mit dir in den Armen auf und schwamm zum Ufer. Er hat dich wiederbelebt. Er hat dir das Leben gerettet«, sagte Lea und trocknete ihre Tränen mit den Ärmeln ihres rosafarbenen Pullovers. »Deine Mama hat dir dann dabei geholfen, trockene Kleider anzuziehen und hat dich ins Bett gesteckt«, beendete Lea ihre Erzählung über die Ereignisse der vergangenen Nacht.

Eine Weile saßen sie schweigend nebeneinander.

»Wer ist eigentlich Coel?«, fragte Lea plötzlich.

Mia erschrak und ihr Herz versetzte ihr einen schmerzhaften Stich.

»Coel«, flüsterte sie leise und schaute verlegen zu Boden. Am liebsten hätte sie geantwortet: »Er ist meine andere Hälfte.« Aber sie wusste, Lea würde das nicht verstehen, es würde sie nur irritieren.

Nach einer kurzen Weile des Schweigens antwortete sie stattdessen einfach mit: »Er ist mir im Traum begegnet.«

Lea zog fragend ihre Augenbrauen hoch und sah Mia an. »Und weiter?«, fragte sie nach einer kurzen Weile.

»Was meinst du mit ›Und weiter‹?«

»Wieso hast du dann seinen Namen gerufen?«

Mia presste ihre Lippen zusammen und überlegte, was sie ihrer Freundin antworten sollte, ohne dass diese denken könnte, sie sei verrückt geworden.

»Es brennt dir doch etwas auf der Seele, Murmel. Du weißt, du kannst mir alles sagen. Du bist meine Beste und daran wird sich nichts ändern«, sagte Lea in einem sanften Ton, schaute sie erwartungsvoll an und fügte hinzu: »Und nun erzähl mir bitte.«

Mia schwieg und zupfte am blauen Stoff ihres Nachthemdes.

»Glaubst du, dass wir schon mal auf der Erde gewesen sein könnten? In einem anderen Körper?«

Lea hob die Augenbrauen erneut. Ihr rechter Mundwinkel zuckte leicht.

Mia kannte ihre Freundin so gut, dass sie wusste, dass Lea am liebsten über die Frage lachen würde.

Lea spitzte ihren Mund und runzelte nachdenklich ihre Stirn. »Ich weiß es nicht. Ehrlich gesagt habe ich mir auch noch nie wirklich Gedanken darüber gemacht«, antwortete sie und spielte nervös mit einer Strähne ihres schwarzen Haars.

Nach einer Weile des Schweigens stand Lea auf und holte Mias Laptop. »Vielleicht finden wir hier etwas zu diesem Thema?«»Gute Idee«, erwiderte Mia und lächelte Lea an.

Sie wusste es zu schätzen, dass Lea versuchte zu helfen, auch wenn das

Thema überhaupt nicht ihren Interessen entsprach. Vor allen Dingen war Mia aber beruhigt, dass Lea keine unangenehmen Fragen stellte.

»Gehen wir in den Garten. Ich brauche frische Luft«, sagte sie und fügte hinzu: »Ich mach uns dann gleich noch einen Latte Macchiato.«

»Das klingt super«, antwortete Lea, schnappte sich den Laptop und lief vor Mia her die Treppe hinunter.

Mit Kaffee und Laptop ausgerüstet, setzten sie sich in den Garten auf den Boden der Veranda. Mia startete den Computer und öffnete den Browser. Eine kurze Weile überlegte sie sich, mit welchen Stichworten sie suchen wollte, und tippte dann im Suchfeld das Wort »Wiedergeburt« ein. Das Fenster öffnete sich und Mia sprangen Worte wie »Karma«, »Reinkarnation« und »Seelenwanderungslehre« entgegen.

»Kapierst du irgendwas von dem?«, fragte Lea, die sich neben Mia über den Laptop gebeugt und mitgelesen hatte. Nebenbei schlürfte sie lautstark und genüsslich an ihrem Latte Macchiato. Mia sah genervt zu Lea hinüber und sagte: »Kannst du deinen Kaffee bitte leiser trinken? Das nervt.«

»Du verträgst ja wohl gar nichts«, erwiderte Lea beleidigt.

»Wie soll ich irgendetwas von dem verstehen, wenn du neben mir sitzt und deinen Kaffee so laut schlürfst?«

»Sorry, Mia, aber sind wir mal ehrlich, das hättest du auch dann nicht sofort verstanden, wenn ich nicht neben dir meinen Kaffee getrunken hätte«, gab Lea zur Antwort und sah Mia wütend in die Augen.

Mia rieb sich mit den Fingerspitzen an den Schläfen und schaute zu Boden.

»Es tut mir leid, Lea. Ich bin wohl etwas dünnhäutig zurzeit.«

Lea schluckte und antwortete kleinlaut: »Schon gut, geht mir auch so. Es tut mir auch leid.« Sie machte eine kurze Pause und fügte dann hinzu: »Gib mir mal den Laptop. Ich suche nach einem anderen Artikel.«

Lea sah angestrengt auf den Bildschirm.

»Laut diesem Artikel hier, glaubte Pythagoras an Wiedergeburt und behauptete, sich an frühere Leben zu erinnern«, sagte sie nach einem Moment, runzelte die Stirn und las weiter.

»Da gibt es ganz viele, auch nicht bekannte Persönlichkeiten, die von solchen Erinnerungen an ein früheres Leben sprechen. Aber wie kommst du auf so was?«

Mia schaute zu Boden: »Kennst du das befremdende Gefühl, wenn du denkst, eine bestimmte Situation schon mal erlebt zu haben?«, fragte sie und fuhr etwas leiser fort: »Ein Déjà-vu sozusagen.«

»Ja, das kenne ich«, antwortete Lea.

»Dann stell dir dasselbe Gefühl vor, mit dem einzigen Unterschied, dass du weißt, dass das keine Erinnerungstäuschung ist, sondern dass du das tatsächlich erlebt hast.«

»Wie meinst du das?«, hakte Lea irritiert nach.

»In den Momenten, in denen ich ohnmächtig war, träumte ich beide Male von demselben Jungen. In beiden Träumen nannte er mich Aurora. Wir hatten ein Haus. Wir waren verlobt.«

»Und hattet ihr auch mehr?«, sagte Lea schmunzelnd und ihre Ohren liefen verräterisch rot an.

»Du bist blöd!«, antwortete Mia lachend.

»Dann hattest du mehrmals denselben Traum oder wie?«, fragte Lea und verkniff sich das Lachen.

»Ja, also, nein. Die Orte waren nicht dieselben. Nur der Junge.«

»Das klingt ja immer spannender«, antwortete Lea scherzend.

»Ernsthaft, ich kenne den Jungen«, sagte Mia und schaute Lea eindringlich an.

»Wer ist es denn?«

»Er lebt schon lange nicht mehr. Und das Mädchen auch nicht.«

»Welches Mädchen?«

»Das Mädchen, das ich in den Träumen jeweils bin.«

»Mia, das klingt komisch. Meinst du nicht, dass das einfach ein reiner Zufall war? Vielleicht hast du den Jungen irgendwo gesehen und er hat dir so sehr gefallen, dass du gleich mehrere Male von ihm geträumt hast.«

»Es waren nur zwei Träume von ihm, höchstens drei«, antwortete Mia leise.

»Worüber machst du dir dann solche Sorgen?«, hakte Lea nach.

»Ich weiß es nicht. Vielleicht mache ich mir nur zu viele unnötige Gedanken«, antwortete Mia und versuchte sich selber von ihren Worten zu überzeugen.

»Am besten, du gehst noch mal schlafen und erholst dich.«

»Das wird wohl das Beste sein«, antwortete Mia.

»Ich begleite dich noch kurz in dein Zimmer und dann gehe ich nach Hause. Okay?«

»Gut«, erwiderte Mia und stand auf. Ihre Beine fühlten sich immer noch wie Wackelpudding an.

»Ich helfe dir die Treppen hoch.«

»Nein danke. Das geht schon.«

Mia setzte langsam einen Fuß vor den anderen.

»Du wärst beinahe ertrunken. Du musst jetzt nicht die Heldin spielen, Murmel.«

Mia lächelte angestrengt, während sie neben Lea die Treppenstufen hochging.

Im Zimmer angelangt, legte sie sich sofort auf das Bett.

Lea zog ihr die Decke bis zum Kinn hoch und drückte ihr einen Kuss auf die Stirn. »Arme Murmel. Es wird alles wieder gut. Versprochen«, flüsterte Lea.

Mia lächelte und mummelte sich noch fester in die Decke ein.

»Wenn du was brauchst oder etwas sein sollte, Gabriel und dein Dad sind hier. Deine Mom ist einkaufen. Ich lege dein Handy hierhin«, sagte Lea, platzierte das Handy neben dem Kopfkissen und fuhr fort: »Du kannst mich jederzeit anrufen.«

»Danke«, murmelte Mia und schloss die Augen.

Das warme Gefühl

Die Tage vergingen. Mia ging nicht in die Schule, sondern blieb zu Hause, um sich zu erholen. Die meiste Zeit verbrachte sie damit, endlich alle Bücher zu lesen, die sie schon lange lesen wollte, oder damit, so viel wie möglich zu schlafen. Glücklicherweise konnte sie sich jeweils nicht mehr an ihre Träume erinnern, worüber sie sehr erleichtert war. Dummerweise erinnerte sie sich dafür umso mehr, wenn sie wach war.

Sie erinnerte sich an Caspar. An seine karamellfarbenen Augen, die eine ungeahnte Wärme in ihr hervorriefen. An seine Berührungen, die ihre Haut elektrisierten, und an sein wundervolles Lachen.

Sie machte sich Sorgen um ihn und ertappte sich dabei, wie sie an ihrem Laptop im Internet nach der Telefonnummer seiner Familie suchte. Als sie die Nummer vor sich hatte, griff sie nervös zum Telefon. Mit zittriger Hand wählte sie die Nummer. Es klingelte. Ihr Herz pochte wild.

»Ja«, vernahm sie eine weibliche Stimme am anderen Ende. Mia brachte keinen Ton heraus und legte auf. Sie fuhr sich durch die Haare und ärgerte sich über sich selbst.

»Wie blöd von mir. Wie soll ich sonst erfahren, ob er noch im Krankenhaus ist oder nicht?«, dachte sie und setzte sich auf die Bettkante.

Die Aufregung hatte sie erschöpft. Sie legte sich hin und starrte auf die weiße Zimmerdecke, als sie auf einmal ein warmes Gefühl in ihrer Brust spürte. Sie stand auf, lief ohne nachzudenken ans Fenster ihres Zimmers und blickte hinunter zum Garten.

Gabriel rannte im Kreis und zog einen blauen Pullover hinter sich her. Leo rannte lachend hinter Gabriel und versuchte den Pullover in die Hände zu kriegen. Etwas abseits der beiden stand Caspar. Er schaute zu ihrem Fenster hoch und lächelte sie an.

Sie lächelte schüchtern zurück und deutete ein verlegenes Winken an.

Caspar machte eine Geste mit der Hand, dass sie in den Garten kommen sollte.

Mia schluckte leer und nickte. Sie bewegte sich vom Fenster weg und blickte beschämt an sich hinunter. Ihr ausgeleierter Pyjama würde Caspar wohl gleich dazu bewegen, die Flucht zu ergreifen. Sie rannte zu ihrem Kleiderschrank und entschied sich, nicht ohne dabei eine riesen Unordnung im Schrank zu hinterlassen, für ein rotes Sommerkleid und eine Jeansjacke. Sie schlüpfte hastig aus ihrem Pyjama und zog sich das Kleid und die Jacke an. Dann rannte sie mit vor Aufregung glühenden Wangen ins Badezimmer, kämmte sich die Haare, steckte sie zu einem lockeren Pferdeschwanz hoch und trug schwarze Wimperntusche auf, um ihre Augen zu betonen. Sie sah kritisch ihr Spiegelbild an. »*Warum habe ich gerade jetzt so rote Wangen?*«, dachte sie verärgert und suchte in Sharons Schminketui verzweifelt nach einem passenden Make-up. Das einzig Brauchbare, das sie zwischen all den Tuben und Flakons finden konnte, war ein Abdeckstift.

Sie überlegte einen kurzen Moment, um dann sogleich die beige Textur des Stiftes großflächig auf beiden Wangen sauber zu verteilen. »*Immerhin besser als vorher*«, dachte sie lächelnd, ging aus dem Badezimmer und rannte hastig die Treppe hinunter. Sie zupfte nervös an ihrem Kleid und öffnete die Türe.

Da stand er und lächelte sie an, als wäre er nie weggewesen. All die Momente der Sehnsucht und der Angst wischte er mit seinem bezaubernd schiefen Lächeln aus ihrer Seele.

Ihr Herz hüpfte vor Freude. Am liebsten hätte sie ihn umarmt. Ihr Körper drückte sie unwillkürlich etwas nach vorne, so dass sie sich am Türrahmen festhalten musste, um nicht gegen Caspar zu fallen.

»*Sag irgendetwas zu ihm. Frag ihn, wie es ihm geht*«, sagte sie zu sich selbst, während sie stumm vor ihm stand.

»Wie geht es dir?«, fragte er mit seiner engelsgleichen Stimme.

Sie schaute ihn nur schweigend an.

Die Sonne schien auf seine braunen Haare und verlieh ihnen einen goldenen Glanz. Er trug ein dunkelblaues Hemd, das seinem Oberkörper schmeichelte, und dunkle Jeans mit schwarzen Turnschuhen. Sie schwieg und staunte darüber, wie schön und gleichzeitig unrealistisch sein unerwartetes Auftauchen ihr erschien. So viele Dinge hätte sie ihn gerne gefragt, aber ihre Kehle fühlte sich an, als hätte sich eine Riesenkröte in ihr eingenistet. Sie brauchte einen Moment, bis sie langsam begriff, dass er wahrhaftig vor ihr stand und dass sie ihre Zeit damit vergeudete, ihn blöd anzustarren.

»Habe ich etwas auf der Nase?«, witzelte er und rieb mit dem Zeigefinger auf seiner Nasenspitze.

»Nein, alles gut«, brachte sie endlich mit zittriger Stimme hervor. Ihr Herz pochte laut und am liebsten hätte sie jetzt all ihre Angst hinaus-

geschrien. All die Angst, die sie die ganze Zeit, in der er im Krankenhaus war, versucht hatte beiseitezuschieben, drängte sich plötzlich
schmerzhaft in ihr Bewusstsein. Ihre Seele forderte sie auf, ihn zu
bitten, sie nie wieder zu verlassen. Stattdessen fragte sie ihn: »Geht
es dir besser?«

Er lächelte.

»Ja, mir geht es glücklicherweise wieder gut. Ich wurde gestern aus
dem Krankenhaus entlassen. Die Ärzte wissen nicht, was das Kammerflimmern ausgelöst hat. Aber ich werde jetzt überwacht«, erzählte er
und wirkte plötzlich verlegen und verletzlich. Es war schwer für sie,
seinem Blick standzuhalten, ohne sich in seinen bezaubernden Augen
zu verlieren.

»Dann bin ich sehr froh«, antwortete sie leise und schon wieder überkam sie das Gefühl, ihn am liebsten zu umarmen und nicht mehr loszu-
lassen. Dieses Mal aber mehr, um ihm Trost zu spenden.

Beide schwiegen.

»*Wieso ist er hier?*«, sie kaute gedankenverloren auf ihrer Unterlippe
und überlegte sich, weshalb er, einen Tag, nachdem er aus dem Krankenhaus entlassen worden war, bei ihr zu Hause auftauchte.

Als hätte Caspar ihre Gedanken erraten, sagte er: »Leonard wollte Gabriel besuchen und ich dachte mir, frische Luft kann mir sicher nicht
schaden.«

»Frische Luft«, wiederholte Mia laut und mit belegter Stimme.

»*Ich bin natürlich so blöd und denke, er ist wegen mir hier. Wieso sollte er
auch?*«, der Gedanke brannte in ihrem Herzen.

»Aber ehrlich gesagt wollte ich dich sehen«, flüsterte er und schaute
ihr direkt in die Augen.

Mia blieb die Luft weg. Sie starrte ihn wortlos an.

»Krieg ich nichts zu trinken?«, fragte er gespielt entrüstet nach einem
peinlichen Moment der Stille.

»Klar«, antwortete Mia und hätte sich ohrfeigen können, dass sie nicht
selbst auf die Idee gekommen war.

Als Mia mit zwei Gläsern Zitronenlimonade in den Garten kam, saß
Caspar auf der weißen Schaukel der Veranda und beobachtete Gabriel
und Leonard.

»Bitte schön, selbstgemachte Limonade von meiner Mutter.«

Mia platzierte die Gläser vor ihnen auf dem braunen Holztisch und schaute ebenfalls zu Gabriel und Leonard.

»Willst du dich nicht setzen?«

»Doch«, antwortete Mia verlegen und setzte sich neben ihn.

So nahe bei ihm konnte sie seinen betörenden Duft nach frischem Zedernholz einatmen. Dieser Duft erinnerte sie an jemanden, sie wusste nur nicht, an wen.

»Wie war das Lampionfest?«, fragte er beiläufig.

»Es war gut. Bis zu dem Zeitpunkt, als Gabriel das Gefühl hatte, er müsse im Lake Kutamo baden gehen.«

Er runzelte die Stirn und sah sie fragend an.

»Er ist einfach so davongerannt und dann im Wald von einem Felsvorsprung in den See gefallen. Ich bin ihm hinterhergesprungen, um ihm aus dem Wasser zu helfen, und wäre dabei, warum auch immer, fast ertrunken. Es ist ja nicht so, dass ich nicht schwimmen kann«, sagte sie und fragte sich im nächsten Moment, warum sie ihm das überhaupt erzählte.

»Ich darf dich einfach nicht alleine lassen«, sagte er mit sanfter Stimme und lächelte sie an.

»Wer hat dich gerettet?«

»Ben«, antwortete sie mit leiser Stimme.

Seine Miene schien plötzlich wie versteinert. »Es tut mir leid, dass ich nicht bei dir war«, sagte er und schaute sie mit schuldvoller Miene an.

»Mia!«, rief Gabriel und rannte zu ihr hin. »Leo hat neue Roboter bekommen. Darf ich zu ihm gehen?«

»Na, dann geht. Aber sag Papa Bescheid.«

»Super!«, rief Gabriel voller Freude und rannte ins Haus.

»Möchtest du nicht auch mitkommen?«, fragte Caspar und schaute Mia erwartungsvoll an.

»Mit dir?«, fragte sie perplex.

»Ja, natürlich mit mir. Ich finde es unverantwortlich, die zwei kleinen Unruhestifter alleine gehen zu lassen«, scherzte er.

»Ja«, antwortete sie trocken und versuchte ihre Nervosität darüber, dass sie gleich sehen würde, wie er lebt, zu verbergen.

Sie saß bei Caspar auf dem Gepäckträger seines Fahrrads. Gabriel und Leonard fuhren mit ihren Fahrrädern vor ihnen her. Der Weg kam Mia viel zu kurz vor, auch wenn es nicht wirklich bequem war auf dem Gepäckträger.

Die Villa war schlicht, aber eindrucksvoll. Der rote Backstein harmonierte gut mit den großen weißen Fenstern. Ein perfekt getrimmter dunkelgrüner Rasen, auf dem das imposante Gebäude ruhte, vollendete das Bild.

»Jetzt siehst du, wo ich wohne, obschon ich noch gar nicht in den Genuss gekommen bin, dein Zimmer zu sehen«, sagte Caspar.

»Das ist auch nicht wirklich interessant. Viele der Sachen in meinem Zimmer sind seit Jahren nicht verändert worden«, sagte Mia und war erleichtert darüber, dass Caspar ihr Zimmer nicht gesehen hatte. Er würde es wohl für kindlich halten und das wäre ihr sehr peinlich.

»Ich finde es immer interessant, wie viel ein Raum über den Menschen, der dort lebt, verraten kann«, erzählte er, während sie zusammen die weiße Marmortreppe hoch zur Haustür gingen.

Als er die Tür aufschloss, eröffnete sich ihr ein riesiger weißer Eingangsbereich. Eine graue Tonfigur, die an ein umschlungenes Liebespaar erinnerte, stand rechts vor der Flügeltür zum Wohnzimmer. Mia staunte über die ungeheuerliche Dimension der Halle.

Gabriel und Leonard liefen an ihnen vorbei und quer durch das Wohnzimmer, öffneten eine riesige verglaste Türe und gingen, soweit Mia das erkennen konnte, in den hinteren Teil des Gartens.

»Wenn die zwei in den Garten gehen, könnten wir ja in mein Zimmer?«, sagte Caspar und sah Mia mit fragendem Blick in die Augen. »Ich kann dir aber auch gerne erst das Haus zeigen. Dann kannst du selber entscheiden, wo wir es uns bequem machen sollen.«

Sie spürte, wie ihre Wangen heiß wurden.

»Mist, jetzt sehe ich sicher aus wie eine Tomate«, dachte sie sich und antwortete: »Ich würde gerne dein Zimmer sehen.«

Sie folgte Caspar die Wendeltreppe hoch und oben angekommen den Korridor entlang. Vor der Tür zu seinem Zimmer blieb er einen kurzen Moment stehen. »Nach ihnen«, flüsterte er und öffnete ihr die Tür.

Sein Zimmer war, wegen der großen Fenster, sehr hell. Ein hohes Bücherregal war an der Wand rechts von Mia. Mitten im Raum stand ein Bett aus Holz mit rotem Bettbezug und dahinter ein schwarzes Klavier.

»Ich wusste gar nicht, dass du Klavier spielen kannst«, stellte Mia erstaunt fest.

»Können ist zu viel gesagt.«

»Bitte spiel mir etwas vor«, bat Mia.

Caspar bewegte sich elegant durch das Zimmer und setzte sich an das Klavier.

»Darf ich mich hier hinsetzen?«, fragte sie und zeigte auf das Bett vor ihr.

»Sicher«, gab Caspar zur Antwort.

Sie setzte sich auf das Bett und nahm für einen Moment seinen wundervollen Geruch wahr, den der Bettbezug verströmte. Caspar spielte eine Melodie. Mia schloss die Augen und horchte entspannt der Musik. Sie sah sich selber tanzend in einem weißen Kleid mitten in einem Mohnblumenfeld. Ihre Augen öffneten sich erstaunt.

»Ich kenne diese Melodie«, sagte sie so laut, dass sie selber darüber erschrak.

»Das kann nicht sein«, sagte Caspar und hörte auf zu spielen. »Ich habe diese Melodie seit Tagen im Kopf. Ich habe mir die Noten dazu aufgeschrieben. Die Melodie gibt es noch nicht. Na ja, jetzt gibt es sie natürlich schon, aber niemand außer meiner Familie hat sie bis jetzt gehört.«

»Doch, ich kenne das Lied«, sagte sie und fuhr nervös fort: »Ich kann gerne summen, wie die Melodie weitergeht.«

Bevor Caspar ihr antworten konnte, summte sie die Melodie, die sie seit Tagen immer wieder in ihren Träumen gehört hatte. Caspars Mund stand ungläubig offen.

»Dann gibt es das Lied schon?«, fragte er und Mia konnte seine Verwunderung darüber an dem Tonfall seiner Stimme erkennen.

»Ja, also, nein. In jedem Fall nicht, soviel ich weiß. Es gibt das Lied nur hier«, antwortete sie und deutete mit ihrem Zeigefinger auf ihre Stirn.

Caspars Mund war nun noch weiter geöffnet.

»Telepathie, wer weiß«, sagte Mia lachend.

Caspar runzelte unverständlich die Stirn. »Ja, vielleicht. Wer weiß«, flüsterte er, mehr für sich selbst. Dann stand er gedankenversunken auf und lief zu seinem Bücherregal. Aus der zweituntersten Reihe des Regals zog er ein gelbes Buch hervor.

Er setzte sich neben sie und öffnete das Buch beim Lesezeichen.

»Die wollte ich dir noch geben«, sagte er sanft. In die eine Seite des Buches war eine Mohnblume gepresst.

»Die habe ich an jenem Abend, als wir zu viert dieses Mohnblumenfeld entdeckt hatten, mitgenommen.«

»Für mich?«, fragte Mia erstaunt.

»Für wen denn sonst«, gab er lachend zur Antwort und fügte hinzu: »Am besten, du nimmst sie mit dem Buch mit. Dann kannst du sie geschützt transportieren. Es sei denn, du möchtest sie nicht«, sagte er und sein Blick wirkte plötzlich verunsichert.

»Sicher möchte ich sie«, antwortete Mia. Sie schaute die Blume an und fuhr mit ihrem Zeigefinger sanft über den getrockneten Blütenkopf.

»Danke«, murmelte sie mit trockenem Mund, so sehr war sie erstaunt darüber. Dann schaute sie ihn an.

Er lächelte und nahm ihren Kopf in seine Hände. Sie saßen da und sahen sich in die Augen. Nun strichen seine Finger sanft über ihren Nacken.

Sie spürte seinen warmen Atem, der nach Marzipan duftete. Die feinen Härchen in ihrem Nacken richteten sich wie elektrisiert auf, als sein Gesicht sich ihrem näherte. Sie schloss die Augen, als seine Lippen ihre Lippen berührten. Er küsste sie zärtlich und gleichermaßen voller Verlangen.

Mia fühlte sich erlöst. Sein Kuss erlosch ihre Begierde nach ihm und entfachte sie vielmehr zu einem unstillbaren Durst.

Er presste seine Lippen noch stärker auf ihre. Seine Hände streichelten über ihre Wangen, während sein Kuss immer leidenschaftlicher wurde. Dann drückte er sie sanft wenige Zentimeter von sich weg, küsste liebevoll ihre Stirn und sah sie ernst und mit einer Wehmut, die sich in seinen Augen widerspiegelte, an.

»Es ist, als hätte ich dich immer schon gekannt. Als hätte ich dich ...«, er zögerte einen kurzen Moment und kämpfte mit sich selbst, ehe er leise flüsterte: » ...als hätte ich dich immer schon geliebt.«

Ein Klopfen ließ die beiden zusammenzucken. Sie sahen zur Tür, die jetzt einen Spalt breit geöffnet war. Gabriel streckte seinen Kopf herein. Mia und Caspar bewegten sich unweigerlich etwas voneinander weg.

»Mama hat angerufen. Es gibt Nachtessen«, sagte Gabriel.

»Meine Güte! Schon so spät?«, sagte Mia erstaunt und sah auf ihre Uhr. Es war bereits Viertel nach fünf. Sie musste die Zeit vergessen haben.

Caspar richtete sich auf. »Ich werde euch nach Hause begleiten«, sagte er.

»Danke«, gab Mia zur Antwort.

Der dunkle Raum

Die frische Abendluft wirbelte ihr die Haare umher und vors Gesicht. Sie lächelte zufrieden. Sie saß bei Caspar auf dem Gepäckträger seines Fahrrads.

Gabriel radelte hinter ihnen her.

Am liebsten hätte sie ihren Kopf an Caspars Rücken gelehnt und ihre Arme um seinen Bauch geschlungen. Aber sie traute sich nicht. Stattdessen hielt sie sich am Gepäckhalter fest und dachte über den Kuss nach.

Er war wundervoll gewesen. Sie lächelte glücklich in sich hinein und ihr Herz hüpfte vor Freude.

»Alles gut dahinten?«, rief Caspar.

»Alles bestens!«, entgegnete sie und sah wie sie an den sattgrünen Bäumen der gepflegten Allee von Kultainen vorbeiflitzten. Die Straße führte durch die hügelige Landschaft hinunter nach Kentää. Dort bog Caspar rechts ab. Mia wusste, dass er *ihren* Weg fahren würde. Den Weg, den sie zusammen nach der Schule gegangen waren. Auf der rechten Seite tauchte der Waldrand auf und links von ihnen war die prachtvolle Blumenwiese.

»Heute leider kein Kirschbaum, meine Dame!«, schrie Caspar lachend nach hinten.

Sie schmunzelte. Es freute sie, dass er sich daran erinnerte, wie sie gemeinsam unter dem Kirschbaum gesessen hatten.

»Was ist mit dem Kirschbaum?«, schrie Gabriel.

»Nichts, Gabriel. Nicht so wichtig!«, rief Mia ihm zu.

Links von ihnen tauchte der Kirschbaum auf. Caspar fuhr weiter.

Mia sah ihr Haus und spürte ein Unbehagen darüber, sich jeden Moment von ihm verabschieden zu müssen. Ihr Herz brannte. Caspar bremste sachte ab.

»Bitte absteigen, meine Dame«, witzelte er.

Sie kletterte etwas unbeholfen vom Gepäckhalter hinunter.

Caspar beobachtete sie und lächelte sanft.

»Nur keine Hektik.«

Mia schaute ihn genervt an.

»Hätte ich mich nicht beobachtet gefühlt, wäre ich viel gekonnter vom

Fahrrad abgestiegen«, sagte sie bestimmt und verschränkte gespielt beleidigt die Arme vor der Brust.

Caspar lachte laut auf, zog sie am rechten Ärmel ihrer Jeansjacke zu sich heran und küsste sie sanft auf die Stirn. Seine Finger berührten ihr Kinn und hoben es sanft aber fordernd in die Höhe, ehe seine Lippen ihren Mund zu einem Kuss verführten.

»Das ist ja eklig!«, schrie Gabriel.

Mia ließ sich nicht von ihrem Bruder beeindrucken. Sie genoss mit jeder Faser ihres Körpers die Verschmelzung ihrer Lippen. Caspar küsste großartig. Sie atmete heftig und zog ihn näher an sich heran. Ihre Finger fuhren durch seine vollen braunen Haare.

Sie hörte, wie Gabriel die Haustür öffnete und hinter sich wieder zuschmetterte.

Caspar lachte. »Da ist wohl jemand beleidigt, dass er keine Aufmerksamkeit bekommen hat«, grinste er.

»Ach der«, antwortete sie und schüttelte nur unverständlich den Kopf.

»Wann hast du morgen deine erste Stunde?«

»Um acht. Wieso fragst du?«

»Nur so«, entgegnete er und küsste sie auf die Wange.

»Mach's gut, meine Kleine.«

Er stieg auf sein Fahrrad und fuhr davon.

Mia hielt verträumt ihre Hand an die Wange, auf die er sie soeben geküsst hatte, und sah ihm hinterher, bis er verschwunden war.

»Mia, kommst du bitte herein!«, hörte sie Sharon hinter ihr rufen.

»Ja, Mama«, sagte sie, lief an ihrer Mutter vorbei in die Küche und setzte sich gedankenverloren an den Tisch. Die tiefe Stimme ihres Vaters riss sie aus ihrer Verträumtheit.

»Ihr wart ja lange weg. Sind das eure neuen Spielgefährten?«, fragte er und sah abwechselnd zu Mia und Gabriel.

Mia verdrehte genervt die Augen.

»Ich bin kein kleines Kind mehr, das einen Spielkameraden braucht«, antwortete sie und bedachte ihren Vater mit einem finsteren Blick.

»Also, Leo ist mein Spielkamerad«, erklärte Gabriel und stocherte mit seiner Gabel im Essen: »Die beiden sind verliebt«, fuhr er fort und sah stolz in die Runde. »Die haben sich geküsst.«

Mia sah, wie ihr Vater die Augenbrauen hob und sie erstaunt ansah. Ihre Mutter lächelte.

»Wie heißt denn dein Freund?«, fragte er gespannt nach einem kurzen Moment der Stille.

»Caspar«, antwortete sie. »Aber ich habe echt keine Lust, mich mit euch darüber zu unterhalten«, fuhr sie fort, während sie ihren Teller füllte. Sharon hatte wie immer herrlich gekocht. Röstgemüse mit karamellisierten Zwiebeln und Sauerbraten.

Während des ganzen Essens spürte sie die neugierigen Blicke ihrer Eltern. Kaum hatte sie den letzten Bissen genommen, stand sie auf und stellte den leeren Teller in die Spüle. »Ich habe noch eine Menge zu erledigen«, murmelte sie als Entschuldigung und verließ, damit niemand mehr unangenehme Fragen stellen konnte, im Eiltempo die Küche. Aus dem Augenwinkel konnte sie gerade noch erkennen, wie George verwundert den Kopf schüttelte und Sharon liebevoll seine Hand tätschelte.

Sie ließ sich auf ihr Bett fallen und atmete erleichtert auf. Das war ja gerade noch mal gut gegangen. Sie hatte wirklich keine Lust, mit ihren Eltern über Caspar zu sprechen. Ihr Blick wanderte zur weißen Zimmerdecke hoch.

Tock, Tock, Tock ... ertönte es in gleichmäßigen Abständen. Sie erwachte und stellte verwundert fest, dass sie in ihren Kleidern geschlafen hatte. Sie stand auf und zuckte zusammen, als das nächste Tock noch lauter ertönte.

Etwas war gegen ihr Fenster geflogen.

Mia sah in den Garten hinunter. Caspar stand dort und lächelte zu ihr herauf. Er trug wieder seine vergilbte schwarze Lederjacke, die er an dem Tag getragen hatte, an dem sie ihn zum ersten Mal gesehen hatte.

Er deutete ihr mit einem Handzeichen an, hinunterzukommen. Sie nickte.

Sie schlüpfte aus ihren Kleidern vom Vortag und zog sich im Eiltempo einen blauen Pullover und Jeans an, kämmte sich die Haare und trug zu guter Letzt noch Wimperntusche auf, um die Augen zu betonen. Dann schnappte sie sich ihren Schulsack und verließ ihr Zimmer. Sie rannte die Treppe hinunter, griff sich ihre Jeansjacke und stürmte mit wild pochendem Herzen aus dem Haus.

»Guten Morgen«, sagte Caspar gut gelaunt und mit Kieselsteinen in der Hand. Er stand vor seinem Fahrrad und lächelte sie verschmitzt an.

»Guten Morgen«, erwiderte Mia und blieb auf der letzten Treppenstufe stehen.

Es war der erste schöne Frühlingsmorgen. Die Morgensonne schien wärmend auf die beiden hinunter und die Vögel zwitscherten um die Wette. Mia blinzelte glücklich in das Sonnenlicht.

Caspar kam langsam auf sie zu und hauchte ihr einen sanften Kuss auf die Wange, während er ihr mit seiner Hand eine Haarsträhne hinter das Ohr strich. Sie sah verlegen zu Boden und spürte, wie sie errötete.

»Ich dachte, ich komme dich abholen. Dann können wir gemeinsam zur Schule fahren. Ich hoffe, das ist okay für dich?«, sagte er und schaute sie fragend an.

»Natürlich«, erwiderte sie und dachte sich: »*Noch besser wäre die Idee gewesen, wenn ich damit nicht so überrascht worden wäre.*«

Sie schnappte sich ihr Fahrrad, das am Haus angelehnt war, und radelte los.

»Hast du es eilig?«, fragte er sichtlich amüsiert.

»Nein«, sagte sie und fuhr vor ihm her.

Caspar überholte sie und schnitt ihr den Weg ab. Er lächelte belustigt und sah sie herausfordernd an.

Um nicht den Halt zu verlieren, stieg Mia vom Fahrrad.

Caspar hatte ein Bein auf dem Boden und stützte sich auf seinem Fahrradlenker ab.

»Was?«, fragte sie sichtlich irritiert, kniff die Augen zusammen und bedachte ihn mit einem mürrischen Blick. Frühmorgens war sie einfach nicht für Späße aufgelegt.

»Wer zuerst in der Schule ist?«, fragte Caspar mit einer kindlichen Freude in den Augen.

»Es scheint, als hättest du es eilig?«, entgegnete Mia.

»Vielleicht«, flüsterte Caspar: »Bist du dabei?«

»Vielleicht«, antwortete sie, stieg auf ihren Drahtesel und fuhr an Caspar vorbei. Sie hörte Caspars bezauberndes Lachen hinter sich und trat schmunzelnd in die Pedale.

Außer Atem kam sie auf dem Schulgelände an. Caspar lehnte lässig an seinem Fahrrad und erwartete sie bereits. Mia stieg von ihrem Drahtesel und stellte ihn in den Fahrradunterstand.

»Jetzt sind wir zu früh in der Schule, dank deiner tollen Idee.«

»Das wollte ich ja. Komm mit, ich möchte dir etwas zeigen.«

Caspar stellte sein Fahrrad neben das von Mia und nahm sie bei der Hand. Er schien es eilig zu haben. Mia versuchte mit ihm Schritt zu halten.

Caspar führte sie eine Treppe hinunter und öffnete die Messingtür vor ihnen. Sie betraten einen dunklen Kellerraum.

»Ist das nicht verboten?«, fragte Mia.

»Sei leise«, sagte Caspar und führte sie gekonnt durch den dunklen Keller. Er lief durch den Raum, als würde er ihn kennen. Sie blinzelte in die Dunkelheit, als plötzlich ein heller Streifen Licht vor ihr auftauchte. Caspar hatte eine weitere Türe geöffnet.

Als ihre Augen sich wieder an die Helligkeit gewöhnt hatten, konnte sie erkennen, dass sie auf der Bühne der Schule standen. Sie blickte von der Bühne hinunter. Nur ein paar Stühle standen da, ansonsten war der Raum leer. Als sie nach links schaute, um die Bühne besser betrachten zu können, sah sie dort ein Klavier stehen. Nicht einfach ein Klavier, sondern einen schwarzen Flügel. Seit dem letzten Mal, als sie in diesem Raum gewesen war, waren mindestens schon vier Jahre vergangen. Damals hatte sie in einer Schulaufführung eines Märchens mitgespielt. Der Raum kam ihr viel kleiner vor, als sie ihn in Erinnerung hatte.

Caspar setzte sich an den Flügel und spielte leise die Melodie, die er ihr schon in seinem Zimmer vorgespielt hatte.

Ihre gemeinsame Melodie. Mia summte leise mit und setzte sich auf den Boden der Bühne. Sie schloss die Augen.

In ihrer Vorstellung saß sie mit Caspar wieder unter dem Kirschbaum. Als sie ihre Augen wieder aufschlug, saß Caspar neben ihr. Er sah sie verschmitzt an.

»Na, habe ich dir zu viel versprochen?«

»Du hast mir überhaupt nichts versprochen. Ich würde das eher Entführung nennen«, scherzte sie.

Seine karamellfarbenen Augen verwandelten sich wieder in diese wundervollen Halbmonde. Sie öffnete leicht ihre Lippen und atmete tief ein. Er war so wunderschön, dass sie ins Staunen geriet.

»Ich habe dich erst vor kurzem kennengelernt. Aber ich weiß jetzt schon, dass ich dich nie verlieren möchte. Ich möchte in deinem Leben sein. Für dich da sein. Dein sein«, sagte er leise und sein Gesicht verzog sich vor Ergriffenheit. Es schien ihn immer anzustrengen, wenn er über seine Gefühle sprach.

»Das wünsche ich mir auch«, flüsterte sie leise zurück. So leise, als könnten die Worte, sobald sie ausgesprochen werden, wie Ballons in der Luft zerplatzen und sie aus ihrem schönen Traum aufwecken.

Caspar beugte sich zu ihr hin. Seine Lippen berührten ihre Lippen. Er griff mit seinen Händen in ihre Haare, umklammerte mit der anderen Hand ihre Hüfte und drückte sie noch näher an sich heran. Ihr Atem ging heftig und stoßweise. Sie spürte ein Brennen in ihrem Herzen, so heftig war ihr Verlangen nach ihm. Sie keuchte. Langsam lockerte er seinen Griff und sah sie an.

»Wie geht es dir?«, fragte er und sah ihr ernst in die Augen.

»Wow«, gab sie zur Antwort.

Das Klingeln der Schulglocke riss sie aus ihrer Umarmung. Caspar richtete sich langsam auf und hielt ihr die Hand hin, um ihr hoch zu helfen. »Ich begleite dich noch bis zu deinem Klassenzimmer«, sagte er.

Mia runzelte die Stirn. Sie hatte ganz vergessen, welches Fach sie heute in der ersten Stunde hatte. Nach einem kurzen, angestrengten Moment des Nachdenkens kam es ihr wieder in den Sinn. Sie hatte die erste Stunde Mathematik bei dem langweiligen Professor Bogner.

Neugierige Blicke

Als sie händchenhaltend durch den Korridor der Schule liefen, drehten ein paar Schüler die Köpfe nach ihnen um. Das war typisch für die Insel Marvengaard. Wenn einmal etwas Neues passierte, waren alle ganz neugierig.

»Warum starren die alle so?«, fragte Caspar irritiert.

»Das ist normal, wenn hier mal was Neues passiert, sind alle neugierig«, antwortete Mia und verteilte an die neugierigen Schüler genervte Blicke.

Als sie vor dem Klassenzimmer ankamen, blieb Caspar stehen und nahm ihr Gesicht in beide Hände.

»Treffen wir uns bei den Fahrrädern nach der Schule?«

»Ja«, antwortete sie und konnte den Schulschluss schon jetzt kaum erwarten. Caspar küsste sie sanft auf den Mund.

»Das neue Traumpaar unserer Schule!«, schrie Lars erfreut, als er Mia und Caspar erblickte.

»Kümmere dich um deine eigenen Angelegenheiten«, entgegnete Caspar gelassen.

»Wenn dass der arme Sven erfährt«, fuhr Lars mit gespielt mitleidiger Tonlage fort, ohne von Caspars Worten Notiz zu nehmen.

»Oder, wenn ich das erfahre«, ertönte eine Stimme hinter Mia.

Mia drehte sich um und sah Ben und Lea. Lea lächelte sie aufgeregt an. Bens Ausdruck hingegen konnte Mia nicht deuten.

»Dann werde ich mal gehen«, sagte Caspar, hauchte ihr einen Kuss auf die Stirn und lief eilig davon.

Ben und Lea sahen ihm sprachlos hinterher.

»Wieso hast du mir das nicht erzählt!«, schrie Lea, in einer nervend hohen Tonlage, und sah sie verwundert an.

»Wie sollte ich dir etwas erzählen können, das ich selber noch nicht wirklich wusste?«, antwortete Mia.

»Das ist super. Jetzt können wir uns ja zu viert treffen!«, schrie Lea immer noch ganz aufgeregt. Ben räusperte sich.

»Vielleicht können wir das mal machen, aber lieber treffe ich euch beide alleine. Ich teile euch nicht gerne«, scherzte Mia, um Ben, der plötzlich niedergedrückt wirkte, aufzumuntern.

Die drei gingen ins Klassenzimmer.

Professor Bogner war bereits anwesend. Sein schütteres graues Haar stand wie immer unordentlich zu Berge. Er trug dasselbe wie immer. Ein braunes Sakko mit grünen Ellenbogen-Patches, einen dunkelbraunen Rollkragenpullover und eine olivgrüne Cordhose. Mia überlegte sich, ob der Mathematiklehrer keine andere Kleidung hatte.

»Gehen wir nach der Schule ins In-Style? Dirk arbeitet heute«, flüsterte Lea zu Ben und Mia gewandt. Ben nickte und sah Mia an.

»Eigentlich habe ich nach der Schule mit Caspar abgemacht«, gab Mia kleinlaut zur Antwort. Als sie die enttäuschten Gesichter ihrer beiden Freunde sah, fügte sie hinzu: »Er hat sicher Lust mitzukommen. Wenn das für euch okay ist?« Sie schaute die beiden fragend an.

»Sicher«, antwortete Ben kleinlaut.

»Super!«, sagte Lea in einer unüberhörbaren Lautstärke.

»Der Unterricht hat angefangen!«, rief Professor Bogner wütend durch den Raum.

»Habe ich nicht mitbekommen. Entschuldigung«, gab Lea gutgelaunt zur Antwort.

Der Professor strafte sie mit einem gehässigen Blick. Lea störte das gar nicht, sie zuckte nur lächelnd mit den Schultern.

Die Schulstunden vergingen wie im Flug. Nach dem Mathematikunterricht hatten sie noch eine Deutschlektion und eine Stunde Chemie. Als Mia mit Lea und Ben in der Schulkantine ankam, saß Caspar bereits an ihrem Tisch. Mia setzte sich mit einem Sandwich und einer Limonade ihm gegenüber. Er las in einem Buch.

»Was liest du da?«

»*Der Alchimist* von Paulo Coelho«, antwortete Caspar und sah zu ihr hoch.

»Hast du nichts zum Essen dabei?«

»Doch«, sagte Caspar und zog ein rundes Sandwich aus seiner rechten Jackentasche.

Lea und Ben gesellten sich zu ihnen. Sie diskutierten angeregt über eine Mathematikformel und Ben versuchte angestrengt, Lea die Formel verständlich zu erklären.

Mia räusperte sich verlegen. Caspar sah sie fragend an. Sie sammelte ihren ganzen Mut zusammen, atmete tief ein und fragte dann: »Hättest du heute nach der Schule Lust mit Lea, Ben und mir ins In-Style mitzukommen?«, fragte sie nervös.

Ben und Lea hoben neugierig ihre Köpfe und sahen Caspar gespannt an.

»Ja. Das klingt nach einer guten Idee«, antwortete Caspar und fügte hinzu: »Dann treffen wir uns nach der Schule beim Fahrradunterstand?«

»Ja«, antwortete sie erleichtert darüber, dass Caspar zugesagt hatte, und kam nicht umhin, die neugierigen Blicke von Lea und Ben zu bemerken.

Caspar erwartete die drei nach Schulschluss beim Fahrradunterstand. Mia spielte nervös mit den Ärmeln ihrer Jeansjacke, als sie ihn erblickte.

»Dann bin ich mal gespannt, wo wir hingehen«, sagte er lächelnd und setzte sich auf sein Fahrrad.

»Das In-Style ist unser Lieblingscafé«, erzählte Lea.

»Seid ihr bereit?«, fragte Ben.

»Bereit«, gab Mia gutgelaunt zur Antwort.

Sie radelten los. Ben zuvorderst. Anscheinend hegte er nach wie vor kein großes Interesse daran, Caspar näher kennenzulernen.

Vor dem In-Style angekommen, lehnten sie ihre Fahrräder gegen die Hauswand und betraten das Café. Als Mia ihren Blick durch den Raum wandern ließ, stellte sie erleichtert fest, dass nur wenige Leute im Café waren. So war es wenigstens nicht so lärmig und man konnte sich in einer normalen Lautstärke miteinander unterhalten. Mit Caspar zu sprechen, war ihr wichtig. Nicht über etwas Bestimmtes. Sie wollte sich einfach mit ihm unterhalten können.

Lea setzte sich an einen der freien Tische beim Fenster. Ben setzte sich auf den Stuhl ihr gegenüber.

Caspar sah Mia an und rückte ihr den Stuhl neben Lea vor. Mia spürte, wie sie errötete, und gleichsam bemerkte sie den verwunderten Blick von Lea. Sie schien erstaunt über die guten Manieren von Caspar zu sein.

Caspar setzte sich auf den freien Stuhl neben Ben. Ben rückte reflexartig einige Zentimeter von Caspar weg und fixierte die Tischplatte.

Mia runzelte die Stirn und überlegte sich, was Ben wohl für ein Problem mit Caspar haben könnte. Ihre Überlegung wurde unterbrochen von einer hohen, quietschenden Stimme.

»Was darf ich euch zum Trinken bringen?«

Mia drehte den Kopf nach rechts. Die rundliche Serviererin lächelte sie freundlich an.

»Hallo, Leute«, erklang die Stimme von Dirk hinter Mia. Er schnappte sich einen Stuhl und setzte sich zwischen Lea und Mia. »Pipa, bring uns allen doch das neue Hausgetränk«, sagte Dirk in einem lässigen Ton und zeigte mit einem Lächeln seine strahlend weißen Zähne. Pipa nickte und lief davon.

»Was ist denn das Hausgetränk?«, erkundigte sich Ben kritisch.

»Lasst euch überraschen«, antwortete Dirk süffisant. Mia beobachtete, wie Dirk die Hand von Lea nahm. Lea sah peinlich berührt zu Boden und lächelte glücklich.

Pipa kam zurück und platzierte fünf dampfende Tassen vor ihnen auf dem Tisch. Mia sah die braune, süßlich riechende Flüssigkeit skeptisch an.

»Probiert bitte. Das schmeckt lecker und wärmt den Körper«, sagte Dirk motivierend.

Mia nahm einen Schluck und stellte erstaunt fest, dass ihr das heiße Getränk sehr gut schmeckte.

»Was ist da drin?«, erkundigte sich Caspar stirnrunzelnd.

»Schokolade und Ahornsirup. Der Rest ist geheim«, gab Dirk grinsend zur Antwort.

»Das schmeckt wirklich lecker«, sagte Ben überzeugt. Die anderen stimmten ihm mit einem Kopfnicken zu.

»Du bist neu hier, wie ich gehört habe?«, fragte Dirk an Caspar gewandt.

»Ja, ich bin neu hier«, antwortete Caspar, schenkte Mia einen verheißungsvollen Blick und fügte lächelnd hinzu: »Und es gefällt mir sehr gut.«

»Na, dann trinken wir darauf und herzlich willkommen auf unserer schönen Insel Marvengaard«, sagte Dirk und hob seine Tasse. Nachdem sie laut miteinander angestoßen hatten, sah Mia glücklich in die Runde.

Ganz plötzlich spürte sie einen kalten Lufthauch. Sie spürte, wie sich die feinen Härchen an ihren Armen aufrichteten. Fröstelnd verschränkte sie die Arme vor sich. Sie fühlte sich beobachtet, sah instinktiv aus dem Fenster und meinte, eben noch einen Schatten hinter dem Straßenbahnhäuschen verschwinden zu sehen. Sie schüttelte kaum merklich denn Kopf. Entweder stimmte mit ihr etwas nicht mehr, oder irgendetwas stimmte tatsächlich nicht.

Sanft legte Caspar seine Hand auf ihren Unterarm.

»Ist alles gut bei dir? Du siehst bleich aus«, fragte er besorgt.

»Ich werde mich wohl besser langsam auf den Nachhauseweg begeben.«

»Alles gut bei dir? Soll ich dich begleiten?«, fragte Lea und schenkte ihr einen mütterlichen Blick. »Alles gut, mir ist nur etwas schwindelig«, antwortete Mia.

»Wenn es euch recht ist, dann werde ich Mia nach Hause begleiten«, sagte Caspar.

Lea sah Mia an. Mia nickte. Nonverbale Verständigung funktionierte bei ihnen schon seit sie sich kannten.

Mia stand auf und reichte Ben zum Abschied die Hand. »Rufst du mich an, wenn du zu Hause bist?«, fragte er sie mit einem besorgten Blick. »Werde ich«, versprach Mia. Ihr wurde kalt und ihr Herz schlug plötzlich wie wild. Sie musste hier raus. Also winkte sie den anderen nur noch wortlos zu und flüchtete aus dem In-Style. Die kalte Luft draußen beruhigte sie augenblicklich und sie konnte spüren, wie sich ihr Herzschlag normalisierte. Caspar legte seinen Arm um sie.

»Soll ich uns ein Taxi rufen?«, fragte er Mia. Sie verneinte mit einem Kopfschütteln. »Es geht mir schon viel besser. Die kalte Luft tut gut. Besser wir spazieren nach Hause und lassen die Fahrräder hier.«

»Einverstanden«, antwortete Caspar und drückte sie fester an sich. Arm in Arm liefen sie durch Kentää Richtung Valmostaat. Sie hatten sich für den Feldweg entschieden, um nicht an der Straße entlang laufen zu müssen. Mia musste daran denken, wie sie diesen Weg das erste Mal mit Caspar gegangen war. Ein Rufen riss sie unsanft aus ihren Gedanken.

»Mia!«, vernahm sie die Stimme von Gabriel.

Sie drehte sich um und sah, wie Gabriel und Leo ihnen entgegenrannten.

Gabriel kam außer Atem bei ihnen an und hielt einen Drachen in die Luft. »Den wollten Leo und ich gerade steigen lassen. Wir wollten zu dem Mohnblumenfeld, da es dort am besten wäre, den Drachen steigen zu lassen, hat Leo gemeint. Aber wir wissen den Weg dorthin nicht mehr.«

Mia rollte genervt mit den Augen.

»Was meinst du, sollen wir die beiden kurz dorthin begleiten?«, fragte Caspar.

»Ja, können wir«, antwortete Mia immer noch leicht genervt. Viel lieber wäre es ihr gewesen, sie hätte ihre Zeit mit Caspar alleine verbringen können.

»Natürlich nur, wenn du dich schon genug fit fühlst, um einen kleinen Umweg zu machen«, ergänzte Caspar in einem fürsorglichen Ton. Scheinbar hatte er bemerkt, dass Mia über das Erscheinen der beiden Jungs nicht gerade erfreut war.

»Mir geht es schon wieder viel besser«, sagte sie und rang sich zu einem Lächeln durch.

Sie liefen den Pfad entlang, der allmählich schmaler wurde und in Richtung Wald führte.

»Letztes Mal sind wir von der Straße hergekommen. Am besten, wir suchen am Waldrand, wo wir damals runtergegangen sind«, sagte Caspar. Mia nickte ihm zu und Gabriel und Leo liefen aufgeregt los, um den Abhang zu finden, der sie zur Lichtung führte.

»Da!«, schrie Gabriel und zeigte in den Wald hinein: »Ich glaube, wir waren hier«, fügte er aufgeregt hinzu. Leo rannte zu ihm hin.

»Wir gehen nicht hier hinunter. Das letzte Mal hat sich Leo fast etwas gebrochen«, befand Mia, als sie bei Gabriel und Leo angelangt war, und suchte bereits nach einem anderen Weg.

»Dort hat es eine kleine Treppe«, sagte Caspar und zeigte links auf eine von Moos überwachsene Steintreppe.

Sie gingen hintereinander die schmale Treppe hinunter.

Unten angelangt rannten Gabriel und Leo lachend ins Mohnblumenfeld.

»Passt aber auf die Blumen auf«, sagte Caspar mit strengem Tonfall.

»Wir gehen nur dorthin, wo es keine Blumen hat«, antwortete Leo und rollte mit den Augen.

»Ich habe gar nicht gewusst, dass du streng sein kannst«, witzelte Mia und sah zu Caspar hoch.

Er lächelte sie an, hob sie in die Luft und lief mit ihr auf den Armen in die Wiese, um sie dann langsam ins Gras zu legen.

»Ich liebe die Farbe Blau an dir«, sagte Caspar und deutete auf ihren blauen Pullover.

Mia lag auf dem Rücken und sah zu ihm hoch. Die Abendsonne ließ sein Haar golden schimmern. Sie lächelte zufrieden und schloss die Augen.

»Aber keine Blume kaputtmachen«, sagte sie, als sie bemerkte, dass er es sich neben ihr im Gras gemütlich machte.

»Bestimmt nicht«, antwortete Caspar und legte sich ebenfalls auf den Rücken.

»Die Wolken können die fantasiereichsten Figuren annehmen, wenn man sie länger betrachtet«, flüsterte er.

Sie sah in den Himmel und beobachtete, wie die Wolken weit über ihren Köpfen die verschiedensten Formen bildeten. Sie hörte das Lachen von Gabriel und Leo. Jetzt war sie trotzdem froh, dass sie von den beiden Kleinen in ihren Plänen gestört worden waren. Wäre das nicht passiert, wäre sie vermutlich schon zu Hause und würde jetzt nicht neben Caspar auf der Mohnblumenwiese liegen können.

Sie schwiegen und schauten in den Himmel.

Mia war so dankbar darüber, Caspar kennengelernt zu haben. Seit er in ihrem Leben war, fühlte sie sich vollkommen. Natürlich ereigneten sich seither auch merkwürdige Dinge. So fühlten Caspar und sie teilweise dasselbe. Sogar körperliche Schmerzen schienen sie miteinander zu teilen. Aber was auch Komisches vorgefallen war und noch passieren mochte; um keinen Preis auf dieser Welt würde sie auf dieses wundersame Gefühl der Ganzheit verzichten wollen. Sie hatte zwar noch nie zuvor geliebt. Aber sie hatte die Vermutung, dass etwas Mächtiges hinter dieser Verbindung stecken musste. Vielleicht aber war es einfach die Liebe, die sich so anfühlte. Vielleicht war es aber auch etwas anderes. Etwas Stärkeres. Sie lächelte mit geschlossenen Augen und auf dem Rücken liegend vor sich hin, als plötzlich ein Schrei die Stille durchbrach. Ein schmerzerfüllter, langanhaltender Schrei.

Mia setzte sich in Windeseile auf und blickte panisch um sich. Ein weiterer markerschütternder Schrei erklang.

Mia und Caspar standen auf.

Und nochmals erklang ein Schrei.

Diesmal von Mia.

BEDROHLICHE ZEITEN

Mia sah Gabriel reglos im Feld liegen. Sie rannte zu ihm hin und wurde nach wenigen Metern von etwas Warmen umfasst und durch die Luft geschleudert. Sie prallte auf die Wiese. Der Aufprall verschlug ihr für einen kurzen Moment den Atem.

Ihre Beine hatte sie von sich gestreckt und ihr linker Fuß schmerzte so sehr, dass es sich anfühlte, als würde er brennen. Sie setzte sich langsam auf und sah zu ihrem Fuß hin. Irgendwie hatte er sich verdreht. Schweiß trat auf ihre Stirn. Der Schmerz wanderte langsam das Bein hoch.

Gabriel! schrie eine Stimme in ihrem Kopf. Aufgeregt sah sie dorthin, wo er eben noch gelegen hatte, doch im kniehohen Gras konnte sie nichts erkennen. Hilfesuchend sah sie zu Leo.

Leo stand wie angewurzelt da und starrte nach rechts. Sie drehte ihren Kopf, um sehen zu können, wohin Leo starrte. Ihr Mund öffnete sich. Für einen Moment vergaß sie zu atmen.

Dort auf dem Feld, ein paar wenige Schritte von Leo entfernt, stand ein riesiges, schwarzes Wesen. Ein Schleier aus dunklem Rauch umgab seinen schwarzen Körper. An beiden Seiten seines Körpers befanden sich große Flügel, die vollkommen aus schwarzen Federn bestanden.

»Mia!« Caspar rannte zu ihr hin. Bei ihr angelangt, kniete er hin und sah ihr aufgeregt in die Augen.

»Scheiße, lass uns so schnell wie möglich von hier verschwinden«, flüsterte er.

»Mein Fuß schmerzt so stark«, antwortete Mia.

Caspar legte blitzschnell beide Arme um sie und hob sie hoch.

»Gabriel«, sagte Mia.

Caspar rannte mit ihr auf den Armen zu Leo hin.

»Komm!«, flüsterte er ihm nervös zu. Leo gehorchte tonlos und lief mit ihnen zu Gabriel.

Gabriel lag mit geschlossenen Augen vor ihnen im Gras.

Sie runzelte die Stirn. Für einen kurzen Moment hatte sie das Gefühl, ein Lächeln auf seinen Lippen erkannt zu haben. Sie schüttelte verwirrt den Kopf.

»Lass mich runter!«

Caspar ließ Mia langsam hinunter. Als ihr linker Fuß den Boden berührte, knickte er seitlich um. Schmerzerfüllt bohrten sich die Finger ihrer linken Hand in Caspars Schulter.

»Ich nehme Gabriel. Du stützt dich an mir und Leo ab.«
Mia nickte.

Caspar hob Gabriel hoch. Gabriels Kopf hing schlaff von seinen Schultern. Langsam liefen sie los.

»Wo wollt ihr hin?«, erklang eine helle, kalte Männerstimme hinter ihnen.

Das Wesen. Mia hatte es in der Aufregung um Gabriel beinahe vergessen.

Plötzlich wurde sie von einem eiskalten Windstoß erfasst, und ihre Haare wurden mit enormer Kraft nach vorne gewirbelt.

»Ich sage euch, wenn es Zeit ist zu gehen!« Das Wesen stand nun vor ihnen. Es schien, als wäre es durch sie hindurchgegangen.

»Was bist du?«, fragte Caspar mit einem überraschend bestimmten Tonfall in seiner Stimme.

»Was ich bin oder wer ich bin? Was ist wohl die bessere Frage?«, erwiderte das Wesen mit einer erstaunlich hellen, aber eindeutig männlichen und eiskalten Stimme.

Mia sah das Wesen an. Abgesehen davon, dass es schwärzer war als die dunkelste Nacht, die sie je erlebt hatte, und von dunklem Rauch umgeben war, waren bei ihm zweifelsfrei menschliche Züge durch den Rauch hindurch zu erkennen. Die Flügel mit den schwarzen Federn waren ausgespannt und beeindruckend groß.

Sie sah dem Wesen in seine schwarzen Augen. Sein durchdringender Blick traf Mia und ihr Herz verspürte einen langen schmerzhaften Stich. Sie kannte diesen Schmerz. Sie erschrak, als ihr bewusst wurde, dass dieses Wesen vor ihr dieselben bösen und durchdringenden Augen hatte wie das graue Pferd mit dem Hundekopf, das sie schon einmal mit Gabriel und auch mit Caspar gesehen hatte.

»Wer bist du?«, fragte Caspar in einem ernsten Ton. Entweder hatte er keine Angst oder er konnte diese gut überspielen.

»Dass du mich nicht erkennst, habe ich gewusst«, sagte das Wesen kühl.

Langsam löste sich der dunkle Rauch, von dem es umgeben war, und vor ihnen stand ein junger Mann mit schwarzen Flügeln.

»Erkennst du mich jetzt?«

Caspar schluckte leer und verneinte.

»Ich habe nach diesem Jungen gesucht«, der schmale lange Zeigefinger des Mannes deutete auf den immer noch regungslosen Gabriel in Caspars Armen. Er senkte seine Flügel und fuhr mit monotoner Stimme fort: »Doch was ich zusammen mit dem Jungen gefunden habe, hätte ich mir nicht erträumt«, sagte er mit einer eiskalten und gleichzeitig freundlichen Stimme.

Eine paradoxe Mischung, die Mia noch mehr Angst einjagte.

Der Mann kam langsam auf sie zu. Mia, Caspar und Leo wichen ein paar Schritte zurück.

Das Wesen legte seinen Kopf seitlich in den Nacken, kniff die Augen zusammen und taxierte sie mit kritischem Blick und einem Lächeln, das Mia nicht deuten konnte.

»Du hast Angst vor mir?«, sagte er zu Caspar und fuhr mit belegter Stimme fort: »Du erkennst deinen damals besten Freund nicht wieder?«, seine Stimme klang plötzlich ganz freundlich.

Mia spürte, wie ihr Herz wild pochte. Sie hatte Angst und das Gefühl der Angst verstärkte sich spürbar mit jeder Sekunde, die verstrich, ohne dass sie sich erklären konnte, was hier vor sich ging. Ihre linke Hand hielt sich immer noch verkrampft an Caspars Schulter fest. In ihrer rechten Hand spürte sie etwas Warmes. Sie sah hinunter. Leo hatte ihre Hand genommen. Er sah bleichgesichtig zu ihr hoch und drückte ihre Hand etwas fester.

»Sag uns, was du willst, oder verschwinde«, zischte Caspar aus zusammengepressten Lippen hervor. Mia staunte über Caspars Mut und fragte sich, ob er den Mann nicht vielleicht doch kannte.

Der Mann antwortete nicht und lächelte.

»Ich kenne dich nicht, also sag, was du willst, oder verschwinde«, sagte Caspar nun etwas lauter und bestimmter.

Mia atmete erleichtert auf. Wenn das stimmte, was Caspar gerade gesagt hatte, dann kannte er den Fremden wirklich nicht.

»Dann muss ich deinem bemitleidenswert schlechten Gedächtnis wohl auf die Sprünge helfen«, antwortete der Mann und breitete im Bruchteil einer Sekunde seine überwältigend großen Flügel aus. Auf seinen schwarzen Federn blitzten Bilder auf. Dicht aufeinanderfolgende Bilder.

Mia brauchte einen Moment, ehe sie begriff, dass auf den beiden Flügeln des Wesens ein Film zu sehen war. Sie taxierte zuerst den linken und dann den rechten Flügel. Auf beiden Flügeln lief der gleiche Film ab. Sie sah genauer hin.

Ein Mann mit schwarzen dichten Haaren sah sie direkt an. Er lächelte. Das Lächeln erreichte aber seine Augen nicht. Sein Blick blieb bedeutungslos und kalt. Eine Frau mit schwarzen Haaren rannte zu dem Mann hin und umarmte ihn. Sie küssten sich leidenschaftlich auf die Lippen. Die Szene wechselte zu einer Brücke. Zwei Männer standen dort. Der eine Mann fuhr sich lachend durch seine goldblonden Haare, der oberste Knopf seines weißen Hemdes war geöffnet. Er klopfte dem anderen Mann mit den schwarzen Haaren freundschaftlich auf die Schulter.

Mia brauchte einen Moment, um zu begreifen, was sich in dem Film abspielte. Ihre Augen weiteten sich erschrocken.

Die Frau mit den schwarzen Haaren, der Mann mit dem eiskalten Blick und sein Freund mit den goldblonden Haaren – sie kannte die drei. Das waren die Menschen, denen sie in ihren Tagträumen begegnet war. Mia verfolgte den Film nervös weiter.

Das Gesicht der Frau mit den schwarzen Haaren sah sie direkt an. Sie lächelte und wirkte glücklich.

Der Mann mit den schwarzen Augen strich ihr mit seiner Hand über die Wange. Das Gefühl, das er in diese Berührung steckte, zeigte, wie sehr er sie liebte.

Wieder wechselte die Szene. Diesmal folgten die Bilder schneller aufeinander und wirkten wie bruchstückhafte Erinnerungsfetzen.

Eine Frau mit braunen Haaren und verweinten Augen sah sie an. Ihr Blick wirkte verängstigt und verzweifelt. Eine Männerhand schlug ihr mitten ins Gesicht. Ein brennendes Haus tauchte auf und der Mann mit den schwarzen Haaren kniete schreiend auf einer Wiese.

»Andariel«, hörte sich Mia selber sagen.

»Sie hat begriffen«, sagte das Wesen sichtlich erfreut und fügte hinzu: »Und ja, schlaue Mia, ich bin auch das graue Pferd mit dem Hundekopf. Diese Form ist für mich leichter, um aus dem Dickicht heraus beobachten zu können. Bequemer auf vier Beinen. Die Gestalt des Pferdes mit Hundekopf empfinde ich zudem als eine inspirierende Figur.«

Das Wesen lächelte entzückt.

Caspar sah Mia an, kniff die Augen zusammen und fragte in einem verärgerten Ton: »Was will dieses Ding von dir?«

»Hüte deine Zunge, Coel!«, schrie der Mann und hob seine Flügel bedrohlich in die Höhe.

»Du verwechselst mich wohl. Ich heiße nicht Coel. Ich bin Caspar.«

»Caspar oder Coel! Spielt das eine Rolle, wenn ein und dieselbe Seele darin wohnt!«, schrie der Mann mit einer eisigen Stimme und kam bedrohlich nahe zu Caspar.

»Was redest du da?«, sagte Caspar, während er gleich mehrere Schritte vom Wesen zurückwich.

Das Wesen fiel in sich zusammen. Wirkte plötzlich traurig.

Leo zog an Mias Hand, sah sie an und sagte: »Lass uns gehen.« Mia sah ihn wortlos an. Sie wusste nicht, was sie ihm antworten sollte.

»Ich helfe deiner Erinnerung gerne auf die Sprünge«, sagte das Wesen und richtete seinen Blick auf Caspar.

»Seelen leben mehrere Leben in verschiedenen Körpern. Sie durchwandeln die Leben in menschlichen Körpern, bis sie vollkommen sind.«

»Was redet der für wirres Zeug. Lasst uns gehen«, sagte Caspar. Gerade als er sich in Bewegung setzen wollte, um zu gehen, wurde er von einem der schwarzen Flügel des Wesens mit enormer Wucht zu Boden geschleudert. Mia, die sich an Caspars Schulter abgestützt hatte, fiel ebenfalls hin.

Caspar hielt Gabriel, auf wundersame Weise, auch nach dem Sturz noch immer sicher in seinen Armen geborgen.

Erschrocken setzte sich Mia wieder auf und hielt ihren schmerzenden Fuß. Tränen stiegen ihr in die Augen.

»Wie gesagt: Ich sage dir, wann du zu gehen hast!«, schrie der Mann wütend über Caspar gebeugt.

Caspar richtete sich tonlos auf und schaute das Wesen zornig an.

Der Mann packte Caspar am Kragen und zischte mit einer hellen, eiskalten Stimme, die Mia erschaudern ließ. »Du hörst mich jetzt an! Verstanden?«

Caspar sah ihn wortlos und zornig an.

Der Mann ließ Caspar wieder los, lief langsam und bedrohlich um die vier herum und erzählte.

»Es ist lange her, Coel, du warst damals mein bester Freund. Wir waren jung und voller Leben. Wir liebten. Wir liebten mit unserer ganzen jugendlichen Energie das Leben und unsere beiden Frauen. Wir waren verlobt. Du mit Aurora und ich mit Elva. Ich werde nie vergessen, wie wundervoll es war, Elva lächeln zu sehen. Über ihr Haar zu streichen. Ihren Duft zu riechen. Sie in meinen Armen zu halten.« Der Mann stand plötzlich hinter Leo still und senkte traurig den Kopf.

Mia verspürte auf einmal Mitgefühl mit diesem schwarzen Wesen.

»Sie war mein Leben. Genauso wie Aurora dein Leben und deine Erfüllung war. Aber dann ...«, der Mann stockte mitten im Satz, jedes weitere Wort schien ihm immer schwerer zu fallen, »dann hat euer Haus gebrannt und Elva, meine Elva war dort drin und es gab niemanden, der ihr geholfen hätte. Sie war alleine in diesem Feuer. Niemand, der bei ihr war. DU hast sie sterben lassen!«, die Stimme des Mannes wurde wieder laut und wütend. »Du, Coel, in deiner selbstsüchtigen Art, deine eigene Haut und deine Liebste zu schützen ... DU hast meine Elva alleine sterben lassen!«, schrie das Wesen mit seiner eiskalten Stimme. »Weißt du, es gab nur eine naheliegende Lösung in diesem Moment für mich. Ich habe dich umgebracht und anschließend mich selbst. Deine geliebte Aurora habe ich ihrem Schicksal überlassen.«

»Deine Geschichte interessiert uns nicht«, sagte Caspar angewidert.

Das Wesen glitt auf Caspar zu, bis es mit seinem Kopf nur noch wenige Zentimeter von seinem Gesicht entfernt war.

»Es sollte dich aber interessieren, du dummer Jüngling!«, schrie der Mann erzürnt und schlug Caspar mit der Hand ins Gesicht.

»Ich erzähle weiter und glaube mir, es wird dich interessieren. Schließlich musst du verstehen können«, raunzte das Wesen in belehrendem Ton und fuhr mit seiner kalten Stimme fort: »Daraufhin, nachdem ich dich und mich umgebracht hatte, wurde ich zum Todesengel benannt. Degradieren könnte man es ja auch fast nennen, aber was soll's, ich fühlte mich wohl in dieser Rolle. Über die Jahrhunderte hinweg habe ich die Seelen der Menschen in den Tod geleitet. Die Seelen, für die die Zeit gekommen war, in ein neues Leben zu treten. Bis ich den Auftrag bekam, diesen Jungen zu holen«, der lange dünne Zeigefinger des Mannes zeigte auf den reglosen Gabriel in Caspars Armen.

»Was?«, schrie Mia verzweifelt.

»Hör mir zu, du dummes Mädchen!«, zischte das Wesen.

Sie schwieg und sah den Mann hasserfüllt an.

»Als ich diesen kleinen Jungen ... wie alt ist er nochmals?«

»Acht! Er ist acht Jahre alt, du Monster!«, schrie Mia und ihre Augen füllten sich abermals mit Tränen.

»Sei still!«, fauchte das Wesen und fuhr mit seiner Erzählung fort. »Als ich diesen kleinen Jungen so beobachtet hatte, fiel mir Caspar auf. Ich brauchte nicht lange, um festzustellen, dass seine Seele dieselbe war wie diejenige von Coel, einfach in einem neuen Körper. Und als ich so weiter beobachtete«, erzählte es belustigt und lief dabei auf und ab, »habe ich doch tatsächlich – und ich muss erwähnen, erfreulicherweise – bemerkt, dass die junge Dame hier«, er zeigte auf Mia, »die Seele haben musste, die einstmals im Körper von Aurora lebte. Aber jetzt kommt es noch viel besser«, das Wesen lachte eiskalt und voller Schadenfreude: »In meinem damaligen menschlichen Dasein konnte ich dies natürlich nicht bemerken, aber jetzt kann ich es!«, schrie er und machte eine theatralische Pause. Der Mann blieb stehen und sah aufgeregt abwechselnd zu Mia und Caspar, als würde er einen Applaus erwarten. »Ihr habt doch sicherlich bemerkt, dass ihr euch wie zwei Magnete anzieht. Das ihr leidet, wenn ihr nicht beieinander sein könnt. Und dass, seit ihr euch kennt, merkwürdige Dinge passieren, die ihr euch nicht erklären könnt. Weshalb? Ganz einfach.«

Wieder machte er eine theatralische Pause und lächelte die beiden kalt an. »Ihr seid Dualseelenpartner.«

Mia und Caspar runzelten verständnislos die Stirn.

»War mir klar, dass ich euch das genauer erklären muss, ehe euer beschränkter Geist es versteht«, raunzte er und fuhr fort: »Dualseelen sind sozusagen zwei Hälften einer Seele. Zwei Körper aber eine Seele. Erst zusammen bildet ihr dann ein gemeinsames Größeres, wenn eure beiden Seelenhälften wiedervereinigt sind.

Die Liebe, die ihr zueinander empfindet, musste nicht erst entstehen, sie bestand schon, seit ihr existiert.«

Mias Augen weiteten sich erschrocken. Was das Wesen da erzählte, war ungeheuerlich schwer nachzuvollziehen, gleichzeitig aber würde dies all das, was zwischen Caspar und ihr war, erklären können. Sie runzelte nachdenklich die Stirn.

»So, fertig mit der Erzählstunde«, raunzte der Mann und rieb sich freudig die Hände aneinander.

»Dadurch dass ihr diese Verbindung habt, wird es meinen lieben Coel, auch wenn ihr euch ja gar noch nicht so lange kennt, bis in den tiefsten Winkel seines Herzens erschüttern, wenn ich dich töte, Mädchen.«

»Was?«, Mia starrte ihn erschrocken an.

Der Mann winkte mit der Hand ab und lachte. »Gehört zwar nicht zu meinem Auftrag und ich werde sicherlich auch dafür büßen, wenn ich jemanden, der nicht auf der Liste steht, ins Reich der Toten hole, aber was soll's!«, und wieder lachte er, was sich umso beunruhigender anhörte. »Ich habe damals nämlich einen Fehler begangen. Ich hätte nicht Coel, sondern Aurora töten sollen. Dann hätte er mit dem Schmerz klarkommen müssen. Dies wäre die angebrachte und natürlich schlimmere Strafe gewesen. Aber glücklicherweise lässt sich der Fehler ja jetzt beheben und wird umso schlimmer für Caspar sein, da die gute Mia hier ja sein Seelenzwilling ist. Eine Tatsache, die mein Vorhaben umso genialer werden lässt.«

Er rieb sich abermals freudig die Hände und verbeugte sich, als müssten sie ihn wegen seiner klaren, aber wahnsinnigen Worte bejubeln.

Mia stand mit zittrigen Beinen auf. Sie fühlte sich wie in Trance. Langsam drehte sie sich um und lief geistesabwesend davon.

»Dreh dich um, Mädchen, und sieh mir in die Augen, wenn ich dich töte!«, schrie der Mann hinter ihr.

Mia lief verwirrt weiter, ohne sich umzudrehen. Sie fühlte nichts mehr, auch nicht ihren kaputten Fuß. Sie lief einfach. Hinter ihr erklang Caspars wütende Stimme: »Du möchtest sie? Dann musst du erst an mir vorbeikommen!«

»Dann nehme ich halt erst den Jungen und dann das Mädchen. Soll mir recht sein.«

»Nein!«, schrie Mia und drehte sich um. Ihre Augen weiteten sich erschrocken.

Das Wesen beugte sich über den ohnmächtigen Gabriel und tippte ihm mit dem Finger auf dessen Herz.

»Nein!«, schrie sie abermals fassungslos. Caspar stürzte sich auf den Rücken des Wesens und brach ihm den rechten Flügel.

»Nein, du dummer Junge!«, schrie es schmerzerfüllt, als ein lautes Knacken den Bruch des Flügels besiegelte.

Das Wesen schleuderte Caspar kopfüber nach vorne und fuhr dann mit seiner Hand in dessen Körper, so als wäre er aus weicher Butter. Es drückte mit aller Kraft zu.

Mia spürte einen unglaublichen Schmerz in ihrem Herzen und drückte ihre rechte Hand wie schützend auf ihre linke Brust. Ohne dass sie hinblicken musste, wusste sie, dass das Wesen versuchte, Caspars Herz zu zerdrücken.

Das abscheuliche Wesen lachte hysterisch, ehe es über Caspars Körper zusammenbrach.

Leo, der die ganze Zeit mehr als still gewesen war, schrie, als hätte man ihm die Seele aus dem Körper gerissen.

Ein dunkles flackerndes Licht umgab den Körper des Wesens und erst als es nach einigen Sekunden verschwand, war auch das Wesen verschwunden.

Mia rannte panisch zu Gabriel. Sie bückte sich über ihn. Sein Gesicht war bleich und seine Lippen wurden von einem Lächeln umspielt. Er wirkte glücklich.

Mia fühlte seinen Puls. Sie spürte nichts. Panisch beugte sie sich zu ihm herunter und presste Luft in seinen Mund. Dann drückte sie mit ihren Händen mehrmals stoßweise auf seinen Brustkorb und presste danach wieder Luft in seine halbgeöffneten Lippen. Sie wiederholte das, bis ihr schwindelig wurde. Aber Gabriel rührte sich nicht.

Sie spürte, wie Panik in ihr hochkam. Heiße Tränen liefen ihr über die Wangen. Sie rannte zu Caspar.

Leo, der schockiert neben Caspars reglosem Körper gestanden hatte, kniete sich zu ihr hin, sein Körper schüttelte sich, so sehr musste er weinen. Mia nahm Caspar in den Arm. Er öffnete einen Spalt breit die Augen. Sah sie direkt an. Ein Lächeln huschte kaum merklich über sein Gesicht. »Ich wollte dich und Gabriel retten. Ich liebe dich«, hauchte er mit letzter Kraft und schloss die Augen.

Mia spürte, wie sein Körper plötzlich schwerer wurde. Sie starrte mit leerem Blick auf die Blumen auf der Wiese und schrie. Sie schrie, als hätte man ihr einen Dolch mitten ins Herz gerammt – so fühlte sich ihr Herz an, genauso und noch tausendmal schlimmer. Sie schrie, als hätte sie ihr ganzes Leben nie etwas anderes gemacht, als hätte ihr jemand den Sinn ihrer Existenz geraubt. Es war ein langer, lauter und trauriger Schrei, der durch den Wald hallte. Es schien fast so, als wollte sie sich selber mit ihrem Schrei aus einem entsetzlichen Alptraum befreien. Aber nichts mehr könnte sie aus diesem Alptraum befreien, weil sie nie mehr daraus erwachen würde.

Sie brach unter der Last der unerträglichen Schmerzen und der Ohnmacht, die ihren ganzen Körper erfüllte, über Caspar zusammen.

Caspar rührte sich nicht. Er würde ihre Umarmung nie mehr erwidern können. Genauso wenig wie Gabriel ihr nie mehr sein verschmitztes Lächeln würde schenken können.

FÜR IMMER

Mia schlüpfte aus ihrem lilafarbenen Trenchcoat und ging in ihr Ankleidezimmer, um ein paar Minuten später umgezogen im Wohnzimmer zu erscheinen. »Das war`s!«, sagte sie erfreut und drehte sich in ihrem blauen Seidenkleid zu ihrem Labradormischlingshund Pluto hin. »Na, wie sehe ich aus?«, fragte sie lachend.

Pluto legte seinen Kopf auf die linke Seite und beäugte Mia kritisch, so als würde er nicht ganz verstehen, was hier vor sich ging.

»Nur noch das hier«, sagte Mia nun mehr an sich selbst gewandt und holte eine silberne Kette aus einer roten Schachtel. Sie begutachtete sich im Spiegel.

Sie trug ein blaues knielanges Seidenkleid, hautfarbene Strümpfe, silberne Ohrringe und die silberne Kette mit einem Herzanhänger und der Inschrift: »*Die Beste*«. Ihr blondes Haar hatte sie hochgesteckt.

Es klingelte.

Sie ging zur Tür und öffnete sie. Vor ihr standen Lea und Ben.

»Alle Jahre wieder«, grinste Ben.

»Ja, schön, dass ihr euch immer die Zeit nehmt«, antwortete Mia und versuchte sich zu einem Lächeln durchzuringen. Es fühlte sich anstrengend an. Sie biss sich auf die Unterlippe und sah gedankenverloren zu Boden.

»Erstens ist es uns wichtig, an diesem Tag bei dir zu sein. Zweitens sehen wir uns dann alle Mal wieder. Ich treffe mich sonst ja nur noch mit dir, Mia«, antwortete Lea und schaute Ben gespielt beleidigt an.

Sie hatte ein hellblaues Kleid an. Ihre schwarzen Haare trug sie offen.

»Du siehst wie immer fantastisch aus«, sagte Mia.

»Ich gebe mir Mühe, schließlich werden wir nur älter«, antwortete Lea lachend und fügte hinzu: »Du bist ja jetzt auch schon dreißig Jahre alt. Jetzt bin ich wenigstens nicht mehr die Einzige. Ben kann man als Mann da nicht mitzählen.«

»Ich werte das mal als Kompliment«, sagte Ben und umarmte Mia ebenfalls.

»Ich komme hoffentlich nicht zu spät«, sagte Leo außer Atem, der gerade die letzten paar Treppenstufen hochkam.

»Du bist pünktlich wie immer«, antwortete Mia.

»Wollen wir gleich gehen?«, frage Lea und fügte hinzu: »Ich muss danach die Kinder in den Singunterricht bringen.«

»War ja klar, dass deine beiden Kleinen singen werden müssen. Zu deiner Information, Ben, die beiden sind Dirk wie aus dem Gesicht geschnitten«, witzelte sie und erinnerte sich an ihre Schulzeit mit Lea zurück, als Lea sie immer dazu bringen wollte, mit ihr den Singunterricht zu besuchen.

»Heute ist ihre erste Singstunde«, lächelte Lea stolz.

»Hätte ich gewusst, dass wir gleich gehen, hätte ich unten gewartet und wäre nicht all die Treppen hochgestiegen«, raunzte Leo leicht genervt.

»Es hätte auch einen Lift gehabt, wie du weißt«, gab Mia zur Antwort, zog sich ihre flachen schwarzen Schuhe an und schloss die Tür zu. Sie drehte den Schlüssel zweimal im Schloss. Man konnte schließlich nie genug sicher sein.

»Leo, Treppensteigen hilft dir, deine gute Figur zu behalten«, sagte Lea grinsend.

Mia lachte und drückte auf den Knopf für den Lift.

»Du hast es wohl nicht mehr nötig, zu Fuß zu gehen?«, witzelte Ben und stupste Mia liebevoll an den Oberarm.

»Ich mache Kilometer im Krankenhaus. Ich sollte mir mal ein Kickboard oder dergleichen zulegen.«

»Das wäre gefährlich für deine Kollegen und deine Patienten. Bleib bitte lieber zu Fuß unterwegs«, meinte Ben amüsiert.

Sie liefen durch den Park von Kentää und entlang der Allee, die sie nach Valmostaat führten, bis hin zu einem schmalen Pfad. Schweigend gingen sie hintereinander her, bis der schmale Pfad in eine Wiese mündete und sich vor ihnen der Waldrand befand. Leo lief als Erster die moosbewachsene Treppe hinunter. Die anderen folgten ihm mit behutsamen Schritten.

Das Mohnblumenfeld schien sich in all den Jahren nicht verändert zu haben. Als wäre die Zeit stehen geblieben.

Mia starrte mit wässrigen Augen auf das Feld.

Alles sah so aus wie an jenem Tag, aber die für sie wichtigsten Menschen waren nun nicht mehr da.

Langsam kniete sie sich neben Leo auf die von der Sonne gewärmte

Wiese. Schweigend saßen sie da und schauten auf das Blumenfeld vor ihnen, in der Hoffnung, ihre Liebsten würden auftauchen, wenn sie nur lange genug das Feld ansehen würden. Eine immer wiederkehrende Hoffnung. Es fühlte sich schön an, dass Leo bei ihr war. Schließlich war er es auch an diesem unheilvollen Tag gewesen. Das Jahr hindurch trafen sie sich nicht, zu schwer wog die Erinnerung, die jedes Treffen der beiden mit sich brachte.

Leo stand auf und entfernte sich ein paar Meter von ihr. Sie wusste, dass er kurz alleine sein wollte, genau wie sie auch einen Moment für sich alleine benötigte.

Sie dachte an Gabriel. Ihren kleinen, süßen Bruder. Daran, wie er sie immer wieder ärgern konnte und trotzdem immer wieder zum Lachen brachte. Wie er am Morgen in seinem Pyjama am Tisch gesessen und Cornflakes gegessen hatte. Daran, wie sie mit ihm eine Baumhütte gebaut hatte und er seinem Teddybären einen Hochstuhl in der Hütte bauen wollte. Der Hochstuhl war dann samt Teddybär zusammengekracht. Sie musste schmunzeln und wischte sich eine Träne von der Wange.

»Ich liebe die Farbe Blau an dir.« Sie spürte einen kalten Hauch in ihrem Nacken und die schier unermesslich starke Aura seiner Anwesenheit. Sie schloss die Augen, um ihn besser wahrnehmen zu können. Doch sie konnte ihn nicht mehr spüren.

»Wieso kommst du immer, nur um mich dann wieder zu verlassen?«, schrie sie.

»Alles gut, Murmel?«, fragte Lea, die die ganze Zeit hinter ihr gestanden und gewartet hatte.

»Mia, können wir etwas tun für dich?«, fragte Ben schüchtern.

Mia vergrub ihren Kopf in ihren Händen und weinte. Sie hörte, wie Lea und Ben ein paar Schritte von ihr zurücktraten. Beide wussten, dass sie kurz alleine sein wollte.

Sie weinte unaufhörlich, ihr ganzer Schmerz über den Verlust schien endlich durch die Tränen aus ihr hinauszukommen.

»Mia, meine Mia«, wieder vernahm sie aufs Neue seine Gegenwart.

»Bleib bei mir oder lass mich in Ruhe«, dachte sie und schüttelte trotzig den Kopf.

»Mia, ich bin bei dir. Ich werde immer bei dir sein. Ich bin ein Teil von dir. Ein Teil deiner Seele. Eine von zwei Hälften. Ich werde dich immer lieben. Immer bei dir sein. Für immer.«

Sie spürte, wie etwas sanft über ihr Haar strich.

»*Es ist nicht das Ende*«, dachte Mia, sah durch einen Schleier aus Tränen in das Mohnblumenfeld und lächelte.

DANKE AN

Meine Tochter Gwendolyn Ladina Meier, für alles, was du bist und noch sein wirst. Du bist das Wunder und Glück meines Lebens. Ich liebe dich!

Pascal Meier, für das Unterstützen meines Traumes und für all die Liebe, die du für mich empfindest, ich empfinde sie auch für dich.

Sharon Dinah Flügel, für all deine Liebe zu meinem Buch und für deine stundenlange, tagelange Aufmerksamkeit, die du Mia und Caspar gewidmet hast. Du bist genial! Danke, dass dir die Geschichte von Mia und Caspar so gut gefällt.

André Krysl, für deine Zeit und dafür, dass du mich mit deinem Wissen unterstützt hast.

Jetmira Ramadani, dafür, dass du mir mit deinem Glauben an mein Buch die benötigte Kraft zum richtigen Zeitpunkt gegeben hast. Danke für deine starken, liebevollen Worte.

Bettina Nacar, danke für deine wertvolle Freundschaft und für deine Unterstützung.

Lana Prijic, für dich und das «am Ball bleiben». Für all die Zeit und Liebe.

Roger Krebs, danke für deine wertvolle Freundschaft und für deine Unterstützung.

Olivia Schär und Alexandra Brunner, schön, dass es euch gibt und ihr mich unterstützt habt.

Benjamin Vonlanthen, danke für deine wertvolle Zeit.

Karin Wettstein und Melanie Ulmer, für die unbeschwerte Freundschaft und dafür, dass ihr mich unterstützt habt.

Ulrike Bieri, danke für deine bereichernde Freundschaft und für deine Unterstützung.

Tülay Benz, danke für dich und deine Meinung.

Barbara Tribelhorn, für deine wertvolle Meinung.

Larissa Bale Uehlinger, für dein Lachen und deine Tränen für Mia und Caspar.

Danke auch an:

Rolf Lappert, Antonietta Scarmiglione, Azalia Marra, Sabine Ibing, Saskia Martin, Laura Galati, Barbara Galati, Chantal Biber, Aaliyah Brönnimann, Valentina Brönnimann, Ilenia Brönnimann, Janine Steiger und Alon Renner.

Meinen Korrektor und Lektor Michael Lück (Basel), für seine wertvolle Zeit.

Susanne George, für die geschenkte Zeit.

Nicht zu vergessen: Für alle, die mich unterstützen und durchs Leben begleiten in guten und schlechten Zeiten.

Jacqueline

CPSIA information can be obtained
at www.ICGtesting.com
Printed in the USA
LVHW101231061022
730091LV00003B/404